essential

BUSINESS

Italian

Milena Sellitri-van Kraay

series editor • Crispin Geoghegan

Hodder & Stoughton
LONDON SYDNEY AUCKLAND

British Library Cataloguing in Publication Data

Kraay, Milena Sellitri-Van
Essential Business Italian. – (Essential
  Business Phrasebooks Series)
  I. Title   II. Series
  458.3

ISBN 0 340 56789 9

First published 1992

© 1992 Milena Sellitri-van Kraay

Typeset by Wearset, Boldon, Tyne and Wear
Printed in Great Britain for the educational publishing division of
Hodder & Stoughton Ltd, Mill Road, Dunton Green, Sevenoaks,
Kent by Clays Ltd., St Ives plc

Contents

The English core to this phrasebook series, the result of several years of work in foreign and British companies, has been designed for the travelling businessman or woman working in or with a foreign company and wishing to use key phrases even if they do not speak the foreign language perfectly.

The book will also be useful for second year students following business or business-related studies involving languages and it will prove a valuable support when they embark on a placement or a first job in a foreign country.

Each section gives a sequence of phrases for use in a certain activity or context. Where the user might want to continue to another, related topic, cross-references indicate other sources of phrases. For ease of use there is some repetition of phrases that could be useful in a number of possible situations.

The collections of phrases in the longer sections can be used as outline 'scripts' when preparing a specific activity (a meeting, a presentation, a telephone call).

The translation of spoken phrases is never easy. The challenge is greater when the writer wishes to offer phrases which can safely be used in a number of contexts. This series adopts an average mid-range spoken translation and avoids an over-relaxed or over-formal style. Business jargon tends to change rapidly and is sometimes restricted to a limited range of companies. There are some exceptions to this use of a 'neutral' tone, examples of which can be found in the sections **Apologies** and **Agreeing** amongst others. Phrases which are not in a neutral tone are marked as 'formal' or 'familiar'. As far as possible we have tried to offer foreign language phrases which the non-linguist will find easiest to use and modify as required, rather than the most 'elegant' and impressive phrases available.

Accepting, accettare

Ways of Accepting

enthusiastically

> **That's a good idea!**
> È una buonissima idea!
>
> **Willingly!**
> Molto volentieri!
>
> **Yes, all right**
> Si, va bene
>
> **Yes, why not?**
> Si, perchè no?

gratefully

> **That's very kind of you**
> Lei è molto gentile/voi siete molto gentili
>
> **I'd be very grateful if you could / would . . .**
> Le/vi sarei grato se potesse / volesse

reluctantly

> **If you insist**
> Se proprio insiste/insistete
>
> **If I must**
> Se è proprio necessario
>
> **If there is no other alternative**
> Se non c'è nessun'altra alternativa
>
> **Oh, all right**
> Oh, va bene

Accidents, incidente

```
Emergency Telephone Numbers

Fire          Vigili del Fuoco    34999
Ambulance     Pronto Soccorso     7733
Police        Questura            6226
              Centrale
```

Asking for Help

Help!
Aiuto!

Can you help me? I've just had an accident
Può/potete aiutarmi? Ho avuto un incidente

Hello, is that . . . (the police)? I've had an accident at . . . on:
Pronto, è la . . . (polizia)? Ho avuto un incidente a . . . sulla:

- **the (R) N12**
- (R) N12 (strada)

- **the A6 motorway**
- l'autostrada A6

- **the D 201**
- la D [dee] 201

I'm hurt and I need help
Sono ferito ed ho bisogno d'aiuto

There is somebody injured
Ci sono dei feriti

My car / my lorry is badly damaged
La mia macchina / il mio camion è fortemente
danneggiata/o

Someone in the other vehicle is hurt
Nell'altra macchina ci sono dei feriti

Can you send an ambulance / a police car?
Può/potete inviare il pronto soccorso / una macchina
della polizia?

Where can I find a telephone?
Dove posso trovare un telefono?

Please can you tell me where I can find a doctor?
Per favore può/potete dirmi dove posso trovare un
dottore?

Where's the nearest garage?
Dov'è il garage più vicino per favore?

Apologising

I'm sorry, are you all right?
Mi dispiace! Va bene?

Are you hurt?
È ferito/siete feriti?

Can I help?
Posso aiutare?

3

Exchanging Details

Italian drivers usually carry a standard accident declaration form for minor accidents. The driver who accepts responsibility signs the declaration form (*la constatazione amichevole*) completed by the other driver. However, unless you are sure you understand all the details on the form, it is better to ask for help from the police. One has to inform the police of all major accidents and also when a driver refuses to sign the declaration form.

I'm insured with. . . Here are my policy number and the address of the insurance company
Sono assicurato con la . . . Ecco il numero della mia polizza d'assicurazione e l'indirizzo della compagnia assicurativa

I have a green card, here it is
Ho la carta verde; eccola

This is a hire car. It is covered by the hire company's insurance
Questa è una macchina a noleggio; è assicurata dalla società di noleggio

This is a company car
Questa è una macchina aziendale

Can you give me the name of your insurers please?
Mi dà il nome e indirizzo della compagnia assicurativa con la quale la sua macchina è assicurata?

Can you give me your name and address please?
Mi dà il suo nome e indirizzo per favore?

What is your policy number?
Qual'è il numero della sua polizza?

Here are my name and address. My company is Gimex Ltd., and I'm staying at the Continent hotel
Ecco il mio nome e indirizzo; il nome della mia società è Gimex Limited; io sto all'albergo Continent

Reporting an Accident to the Police

I've hit / I've been hit by . . .
Ho urtato / Sono stato urtato da . . .

I've been in collision with / I've collided with . . .
Ho avuto uno scontro con . . . / Ho scontrato la macchina . . . con

I've come to report an accident / I want to report an accident
Sono venuto a riportare un incidente / Vorrei riportare un incidente

The registration number of my car is . . .
Il numero di registrazione della mia macchina è . . .

Here are my driving licence and my green card
Ecco la mia patente e la carta verde

Making New Arrangements

I've been involved in an accident and I will have to change the time of our meeting
Sono stato coinvolto in un incidente; mi dispiace, ma devo cambiare l'ora dell'appuntamento

I'm afraid I won't be able to reach . . . in time for the meeting
Temo che non mi sarà possibile arrivare a . . . in tempo per il nostro appuntamento

5

I'm calling to cancel my reservation, as I've had an accident. My name is . . .
Mi chiamo . . . . Ho avuto un incidente; vorrei annullare la mia prenotazione

Can you make my apologies for me?
Può/potete presentare le mie scuse?

I will contact you later
La/vi contatterò più tardi
See also **Arrangements**

Accounts, conti aziendali

see also Figures, Management Accounts

This section is intended to give a range of useful basic phrases and a few basic terms. Because of differences in accountancy practice it is not possible to give accurate translations for all terms used in balance sheets. The English given in the balance sheet and profit and loss tables below should be taken as an indication of meaning rather than as an accurate translation.

Key Terms

Turnover	giro d' affari
Net income	reddito netto
Investments	investimenti
Employees	impiegati
Cash flow (pre-tax)	flusso / movimento contanti (lordo)
Net cash flow	flusso / movimento contanti al netto
Working capital	capitale di gestione
Margin	margine
Payroll	libro paga
Profit	profitto
Loss	perdita

Key Terms in an Italian Balance Sheet, *il bilancio*

Attivo assets	*Passivo* liabilities
Beni immobili *fixed assets*	Capitale azionario *shareholders' equity*
Mobili e macchinari *fixed tangible assets*	Imposte differite *deferred taxes*
Attività liquida circolante *liquid assets*	Indennità *allowances*
Interessi maturati *accruals*	Debiti *liabilities*
Crediti *assets*	Prestiti *borrowings*
Totale generale	Totale generale

Key Terms in the Italian Profit and Loss Account, *il conto profitti e perdite*

Giro netto d'affari	*net turnover*
Utile d'esercizio	*trading revenue*
Costi d'esercizio	*operating costs*
Quote d'ammortamento	*provision for depreciation*
Risultato d'esercizio	*trading results*

Utili	*revenue*
Spese contabili	*financial charges*
Profitti	*profit*
Risultato corrente lordo	*current result before tax*
Spese straordinarie	*extraordinary items*
Totale utili	*total revenue*
Totale costi	*total expenditure*
Profitti o perdite	*profit or loss*

Questions and Comments on a Set of Accounts

The profit is low / high at £1.2m
Il profitto è basso / alto a £1.2m

The figure:
La cifra:

- **is only ...**
- è solamente ...

- **has fallen to ...**
- è scesa a ...

- **is high / low at ...**
- è alta / bassa a ...

- **has risen to ...**
- è salita a ...

The reason for the figure is . . .
Il motivo per la cifra è . . .

Why is the figure for . . .:
Come mai la cifra per . . . è:

- **so low / so high?**
- così bassa / alta?

- **only 3,000 / decreasing / increasing?**
- in aumento / in diminuzione di solo tremila?

What is the trend?
Qual'è la tendenza?

The trend is upwards / downwards / stable
La tendenza è in salita / in discesa / stabile

What does the entry for 'Progetto GANY' represent?
Che cosa rappresenta l'entrata per 'Progetto GANY'?

Will you be attending the next shareholders' meeting?
Sarà/sarete presenti alla prossima riunione degli azionisti?

What did you enter . . . under?
Che cosa ha registrato sotto . . .?

We have used the following accounting policies . . .
Abbiamo usato la seguente politica di contabilità . . .

The figure for . . . includes . . .
La cifra per . . . include . . .

Our trading year / accounting year finishes on . . .
Il nostro anno d'esercizio / anno finanziario finisce il . . .

The company ceased trading on . . .
La società ha cessato l'attività il . . .

In our country the tax year starts on . . .
Nel nostro paese l'anno fiscale incomincia il . . .

I see that the book value of your brand names is given as 43,560,000 Lit. How did you calculate that?
Vedo che il valore contabile dei marchi di fabbrica è di Lit. 43.560.000; come ha/avete calcolato questa cifra?

What is the basis of the calculation for depreciation?
Qual'è la base dei calcoli per l'ammortamento?

Dividend cover is very good
Il margine dei dividendi è molto buono

Dividend yield is healthy
Il reddito dei dividendi è florido

Gearing is high / low
I prestiti di capitale sono alti / bassi

Present market capitalisation is £3,465,832
La capitalizzazione di mercato in corso è di 3.465.832 lire sterline

Net tangible assets are shown as £300,748
Il profitto netto attuale è di 300.748 lire sterline

Price earnings ratio is high but we expect . . .
Il rapporto degli utili sui costi è alto ma ci si aspetta . . .

Here is the balance sheet for 19—
Ecco il bilancio d'esercizio per il 19—

The balance sheet shows . . .
Il bilancio d'esercizio illustra . . .

Following revaluation, the value of fixed assets has been revised to . . .
A seguito della rivalutazione il valore dei beni immobili è stato riesaminato e portato a . . .

We have taken a shareholding in . . . Plc
Abbiamo preso delle azioni nella Società limitata per azioni . . .

Current assets include a considerable amount of unsold goods
I profitti attuali includono un'ammontare considerevoie di merce invenduta

Current liabilities include . . .
Le perdite attuali includono . . .

We have made provision for . . .
Abbiamo preso le necessarie disposizioni per . . .

The amount shown for fixed capital has increased considerably
L'ammontare illustrato per il capitale fisso è aumentato considerevolmente

The value of raw materials has gone down due to the introduction of new methods
Il valore delle materie prime è diminuito a causa dell'introduzione di nuovi metodi

Current assets have gone down and current liabilities have increased
L'attivo corrente è diminuito e il passivo corrente è aumentato

They are converting long term loans to loans on a shorter term basis
Stanno convertendo i prestiti a lungo termine con prestiti a breve termine

Expenditure on . . . has been treated as a charge against revenue for the current year
Le uscite su . . . sono state trattate come un costo contro le entrate per l'anno corrente

The amount shown for . . . has been arrived at by taking . . . as a basis
L'ammontare illustrato, che si riferisce a . . . è stato ricavato prendendo come base . . .

The company appears to be undercapitalised
Sembra che la società sia capitalizzata in modo insufficiente

What does . . . represent?
Che cosa rappresenta . . .?

How did you calculate the value of . . .?
Come è stato calcolato il valore di . . .?

What is this item?
Cos'è questa voce?

How is this figure made up?
Come si è arrivati a questa cifra?

Why is . . . so low / high?
Perchè . . . è così basso / alto?

Why have you had to make so much provision for bad debts this year?
Perchè quest'anno avete dovuto prendere così tante disposizioni per i crediti inesigibili?

The company appears to be very exposed
La società sembra molto esposta

Does the figure for . . . include . . .?
La cifra che si riferisce a . . . include . . .?

What accounting method did you use for . . .?
Che metodo contabile è stato usato per . . .?

What do the 'spese d'impianto' represent?
Che cosa rappresentano le 'spese d'impianto'?

The cost of launching the new venture has been calculated at . . . Lit. and depreciated over a period of five years
Il costo per il lancio della nuova impresa è stato calcolato a Lit. . . . e svalutato su un periodo di cinque anni

The operating profit has increased less than the operating costs
L'aumento dei profitti è stato inferiore all'aumento delle perdite di esercizio

Advising, dare dei consigli

Advising Someone to do Something

I think you should go and see . . .
Penso che lei/voi debba/dobbiate andare a vedere . . .

If I were you I would try to . . .
Se fossi in lei/voi tenterei di . . .

I think you should contact . . .
Penso che lei/voi debba/dobbiate contattare . . .

Yes, I think it would be a good idea if you could . . .
Sì, penso che sia una buona idea se lei/voi potesse/poteste . . .

In your place I'd write to . . .
Al vostro posto scriverei a . . .

I would advise you to postpone it
Le/vi consiglierei di posporlo

You'd better talk to him
Sarebbe meglio parlargli

You'd be better off speaking to . . . about it (*more familiar*)
Le/vi converrebbe parlare a . . . di . . .

I'd suggest that you try . . . (the central agency)
Suggererei di provare . . . (l'agenzia centrale)

I think that you must make a formal report
Penso che lei/voi debba/dobbiate fare un rapporto ufficiale

I think that you're obliged to . . .
Penso che lei/voi sia/siate obbligato/obbligati a . . .

I think that you have no alternative
Penso che lei/voi non abbia/abbiate nessuna alternativa

Have you tried telephoning / writing to . . .?
Ha/avete tentato di telefonare / scrivere a . . .?

Advising Someone Against doing Something

Oh no, you mustn't do that
Oh no! Non deve/dovete farlo!

No, I wouldn't do that if I were you
No! Non lo farei se fossi in lei/voi

I don't think that would be a good idea
Non penso che questa sia una buona idea

I don't think that that would be advisable
Non penso che ciò sia consigliabile

Agreeing, Approving, essere
d'accordo, approvare

Agreeing with Someone

Yes, I agree
Sì, sono d'accordo

You're right
Lei/voi ha/avete ragione

You're absolutely right
Lei/voi ha/avete assolutamente ragione

That's what I think too
È ciò che penso anch'io

Exactly
Esattamente

Absolutely
Assolutamente

Exactly right / That's it exactly
Assolutamente giusto/È esattamente così

Yes, that's the situation
Sì, è questa la situazione

I suppose you must be right
Suppongo che lei/voi abbia/abbiate ragione

Yes, that's a good idea
Sì, è proprio una buona idea

I'll support you on that
Può contare su di me per quanto riguarda ciò

I couldn't agree more
Sono completamente d'accordo con lei/voi

I think that we're basically in agreement
Penso che fondamentalmente siamo d'accordo

Agreeing to Something

Yes, all right
Sì, va bene

If you must
Se proprio deve/dovete!

Fine!
Bene!

Do that
Lo faccia/fatelo!

If you think that's the best solution
Se lei/voi pensa/pensate che sia la soluzione migliore

Yes, I think you should do that
Sì, penso che lei/voi debba/dobbiate farlo

Yes, you can
Sì, può/sì potete

I agree
Sono d'accordo

That'll be fine
Sì, va bene

Please do
Prego

Go ahead
Prego

Do you mind if I open the window?
Le/vi dispiace se apro la finestra?

No, I don't mind
No, non mi dispiace

Do you mind if I smoke?
Le dà fastidio se fumo?

No, I don't mind
No, non mi dà fastidio

Alternatives, alternative

see also Negotiations

Offering Alternatives

Would you prefer ... instead of ...?
Preferisce/preferite ... invece di ...?

Perhaps you would like to ... instead?
Forse le/vi piacerebbe ... invece di ...?

Would it be better to ... or to ...?
Sarebbe meglio ... oppure ...?

There are only two possibilities: one is to ..., the other is to ...
Ci sono solo due possibilità, una è ..., l'altra è ...

Which of the alternatives would you prefer?
Quale di queste alternative preferisce/preferite?

Would you like to ... or ...?
Le/vi piacerebbe ... oppure ...?

Should we go or should we stay?
Andiamo o restiamo?

Another solution would be to ...
Un'altra soluzione sarebbe quella di ...

We have to choose between ... and ...
Bisogna scegliere tra ... e ...

There are a number of options
Ci sono parecchie scelte

Apologising, scusarsi

see also Complaining

General Apologies

I'm sorry / I'm sorry I'm late
Mi dispiace / Mi dispiace di essere in ritardo

Sorry about that
Mi dispiace

My mistake, sorry
Mi dispiace, è colpa mia

I do apologise
Chiedo scusa

I'm very sorry
Mi dispiace moltissimo

I am extremely sorry
Mi dispiace enormemente

I hope you will accept my apologies
Spero che lei/voi voglia/vogliate accettare le mie scuse

It was my fault, I'm sorry
È stata colpa mia, mi dispiace

I can assure you it won't happen again
Le/vi assicuro che non accadrà più

I must apologise for the mistake
Devo scusarmi per l'errore

Apologising to a Customer

The mistake was on our side and we apologise
L'errore è stato nostro e ci scusiamo

I must apologise for the delay, there were problems
Chiedo scusa per il ritardo; ci sono stati dei problemi

I'm sorry it's taken so long
Mi dispiace che ci sia voluto tanto di quel tempo

I can assure you that it's the first time this has happened
Le/vi assicuro che questa è la prima volta che ciò accade

We are doing everything we can to solve the problem
Stiamo facendo tutto il possibile per risolvere il problema

We are looking into your complaint
Stiamo esaminando a fondo l'oggetto delle vostre lamentele

We are afraid that we can't accept liability for damage during transport
Purtroppo non possiamo accettare la responsabilità per eventuali danni durante il trasporto

. . . but we've referred your complaint to the transport company
. . . ma abbiamo riferito le vostre lamentele alla società di trasporto

We have arranged for a replacement / for the goods you did order to be sent to you immediately
Abbiamo predisposto una sostituzione / per le merci da voi ordinate e le stesse vi verranno inviate immediatamente

I have asked our sales engineer to call in to discuss the problem as soon as possible. She will be contacting you shortly
Ho chiesto al nostro tecnico del reparto vendite di venire al più presto possibile e discutere con voi del problema; lei vi contatterà fra breve

We would like to offer to replace the goods / to repair the machine free of charge
Vorremmo fare l'offerta di sostituire la merce / di riparare la macchina a nostre spese (gratuitamente)

I'm afraid that the problem lies with the transporter and we have contacted them on your behalf
Purtroppo il problema è da parte del trasportatore e noi lo abbiamo già contattato per conto vostro

I'm sorry for any inconvenience this may have caused
Sono spiacente per tutto il disturbo causato

I hope you will understand that we are doing our best to rectify the situation
Spero che lei/voi si renda conto/vi rendiate conto che da parte nostra noi stiamo facendo tutto il possibile per rettificare la situazione

It won't happen again
Non accadrà più

Please accept my apologies on behalf of the company
La/vi preghiamo di accettare le nostre scuse per conto della società

We are proud of our service / the quality of our products and are very sorry that this has happened
Siamo fieri del nostro servizio assistenza / della qualità dei nostri prodotti e siamo molto spiacenti che ciò sia accaduto

We are continually improving the quality of . . . and are very grateful that you brought this to our notice
È nostro desiderio migliorare continuamente la qualità di . . . e siamo molto grati di averci fatto notare ciò

We are sorry that you are not satisfied
Siamo spiacenti che lei/voi non sia/siate soddisfatto/i

If you do have any further problems contact me at once, and I shall deal with them personally. My name is Helen Sewill
Se avete ancora degli ulteriori problemi vi prego di contattarmi immediatamente. Me ne occuperò personalmente: il mio nome è Helen Sewill

Accepting an Apology

It doesn't matter
Non ha importanza (non fa niente)

Don't mention it
Prego

That's OK
Va bene

I quite understand
Sì, capisco

Don't worry about it
Non si preoccupi / non preoccupatevi

In the circumstances I am prepared to accept your apology
Date le circostanze accetto volentieri le sue/vostre scuse

Please don't let it happen again
La/vi prego di far in modo che non succeda più

I don't think that's good enough
Non penso che ciò sia abbastanza

Appointments, appuntamenti

see also Arrangements, Meetings, Telephoning

Making the Appointment

over the phone

Good morning / afternoon, this is Mr . . . from XYZ Plc, could I speak to Mr . . . please?
Buongiorno parla il Signor X della XYZ Plc. Posso parlare con il Signor . . . per favore?

I wish to make an appointment with Ms . . .
Vorrei fissare un appuntamento con la Signora . . .

Mr/Ms . . . wrote to me recently about . . . and now I'd like to make an appointment with him/her to discuss the matter in more detail
Il Signor/la Signora . . . mi ha scritto recentemente circa . . . adesso vorrei fissare un appuntamento con lui/lei per discutere la questione più dettagliatamente

I met Ms . . . at . . . some time ago and she suggested that I should see her next time I was in . . .
Ho incontrato la Signora . . . a . . . qualche tempo fa e in quell'occasione lei mi suggerì di incontrarci la prossima volta che mi fossi trovato a . . .

Can you hold please, I'll look at his/her diary
Un momento prego, consulto la sua agenda

Can you hold please, I'll see when they're free
Un momento prego, cerco di sapere quando sono liberi

He is free on Tuesday 8 December at 2 pm. Would that be suitable?
Sarà libero martedì l'otto di dicembre alle due del pomeriggio. Va bene per lei/voi?

Do you know where I could contact him?
Sa dove posso contattarlo?

Is he on a mobile phone? Has he got a car phone?
Ha un radiotelefono? Ha un telefono cellulare in
macchina?

with the client

**I was interested to read / see . . . and would like to
discuss it in further detail with you**
È stato interessante leggere / vedere . . . e mi piacerebbe
discuterne con lei/voi un pò più nei dettagli

**My company is very active in . . . (distribution) and I
believe it would be mutually beneficial for us to meet**
La mia società è molto attiva in . . . (distribuzione) e
penso che sarebbe vantaggioso per entrambi se ci
incontrassimo

**I have a new product which I think will be of interest to
you**
Ho un nuovo prodotto che penso possa essere di suo/
vostro interesse

Would you have any free time on . . .?
Sarebbe libero lei il . . .? / Sareste liberi voi il . . .?

When would be a suitable time to come and see you?
Quando sarebbe opportuno per lei/voi venire a trovarvi?

Where do you suggest we meet?
Dove suggerirebbe/suggerireste di incontrarci?

**I have a pretty full diary for that date but I could meet
you on the . . . at . . .**
Mi dispiace molto ma in quella data ho veramente
moltissimi impegni; potrei incontrarla/incontrarvi il . . .
a . . .

Can I suggest that we meet on . . . at . . .?
Posso suggerire d'incontrarci il . . . a . . .?

Could you come to my hotel?
Può/potete venire nel mio albergo?

It would be best if we met at . . .
Sarebbe preferibile incontrarci a . . .

I'll fax through a location map to help you find us
Le/vi invio per fax una cartina del posto per facilitarle/vi
il compito di trovarci

Shall we say 3 November at 10 am at my office?
Diciamo il tre di novembre alle dieci del mattino nel mio
ufficio?

Would you like to discuss it over lunch / a drink?
Le farebbe piacere discutere dell'argomento mentre
prendiamo il pranzo / qualcosa da bere?

Cancelling an Appointment

the original appointment

I'd arranged to meet you on 6 June at 3 pm
Avevo organizzato un appuntamento per il sei di giugno
alle tre del pomeriggio

Ms T . . . is expecting me at 11 o'clock
La Signora T . . . mi aspetta alle undici

I expected to be in Milan on 6 June
Pensavo di essere a Milano il sei di giugno

the apology

Unfortunately, I'm going to have to cancel our appointment
Purtroppo sono costretto a dover disdire il nostro appuntamento

I'm afraid that won't be possible
Temo che ciò non sarà possibile

I'm sorry that we won't be able to meet as arranged
Mi dispiace che non sarà possibile incontrarci come stabilito

I'm sorry that I won't be able to keep our appointment
Mi dispiace di non essere in grado di venire all'appuntamento

the reason

I'm afraid I won't be free then
Temo di non poter essere libero in quel periodo

I've had to cancel all my appointments to deal with an important matter at the factory / in the office
Ho dovuto disdire tutti i miei appuntamenti per occuparmi di un'importante faccenda in ditta / in ufficio

Mr/Ms X is ill / has had an accident and will not be fit to travel for some time
Il Signor/la Signora X è malato/a / ha avuto un incidente e non sarà in grado di viaggiare per qualche tempo

My car has broken down
La mia macchina ha un guasto

My flight has been delayed
Il mio volo è stato rinviato

I don't expect to arrive in Milan until 2 pm
Non penso di essere a Milano prima delle due del
pomeriggio

**I've had an accident and will be delayed / and I won't
be able to get to Milan for the appointment**
Ho avuto un incidente; sarò in ritardo / non mi sarà
possibile di essere a Milano per l'appuntamento

Changing an Appointment

We had originally agreed to meet in your office on . . .
In un primo tempo avevamo deciso di incontrarci nel
suo/vostro ufficio il . . .

**Recently I wrote to you confirming an appointment
on . . .**
Le/vi ho scritto recentemente per confermare
l'appuntamento del . . .

I'm afraid I won't be able to meet you then
Mi dispiace ma non mi sarà possibile incontrarla/
incontrarvi a questa data

**Would it be possible to change the appointment to 5
January?**
Sarebbe possibile cambiare l'appuntamento e fissarlo
per il cinque di gennaio?

Could we put off our meeting to a later date?
Possiamo posporre il nostro appuntamento a una data
successiva?

**I wondered whether Mr/Ms Maggio would be free on 5
January instead of the 2nd?**
Mi chiedevo se il Signor/la Signora Maggio è libero/a il
cinque di gennaio invece del due di gennaio

I do apologise / I am sorry about this
Chiedo scusa / mi dispiace

Confirming an Appointment

I'm calling to confirm my appointment with Ms Maggio
Chiamo per confermare il mio appuntamento con la
Signora Maggio

I just wanted to confirm the date / time of our meeting
Volevo solamente confermare la data / l'ora del nostro
appuntamento

Will you confirm by letter / fax?
Potrebbe confermare a mezzo lettera / fax?

**Could you give my secretary a ring to confirm the
appointment / meeting?**
Potrebbe telefonare alla mia segretaria per confermare
l'appuntamento / l'incontro?

**I will give your secretary a ring to confirm the date and
time of the meeting**
Telefonerò alla sua segretaria per confermare la data e
l'ora del nostro appuntamento

So that's the 15 February at your office in Turin
Dunque è il quindici di febbraio nel suo/vostro ufficio a
Torino

I look forward to meeting you then
Resto in attesa del piacere d'incontrarla/incontrarvi

Until the 14th then, goodbye
Arrivederci al quattordici allora

Arriving for an Appointment

Good morning / afternoon, my name is Peters
Buongiorno, il mio nome è Peters

I have an appointment with ... at ...
Ho un appuntamento con ... alle ...

Good morning / afternoon, Mr/Ms Maggio is expecting me
Buongiorno, il Signor/la Signora Maggio mi aspetta

Could you tell me where I could find Mr/Ms Maggio? I have an appointment with him/her at ...
Può dirmi per favore dove posso trovare il Signor/la Signora Maggio? Ho un appuntamento con lui/lei alle ...

See also **Directions, Introductions, Meeting Visitors**

Good morning / afternoon. You must be Mr/Ms Maggio. I am Mike Soames – we spoke on the phone some time ago
Buongiorno, lei deve essere il Signor/la Signora Maggio, io sono Mike Soames. Io ho parlato al telefono con lei qualche tempo fa

Am I speaking to Mr Maggio?
Parlo al Signor Maggio?

Good morning / afternoon / (Mr/Ms ...) / It is good of you to see me
Buongiorno, è molto gentile da parte sua di ricevermi

I'm pleased to meet you, Mr/Ms ...
Mi fa molto piacere d'incontrarla Signor/Signora ...

Mike Soames, from General Logistics
Mike Soames della General Logistics

How do you do?
Piacere!

excuses

I'm sorry I'm a little late
Mi scusi se sono in ritardo

. . . the traffic was heavy
. . . c'era molto traffico

. . . I had trouble finding you
. . . ho avuto un pò di difficoltà a trovarvi

. . . my flight was delayed
. . . il mio volo ha avuto un ritardo

. . . I had an accident
. . . ho avuto un incidente

. . . my car broke down
. . . la mia macchina ha avuto un guasto

Arranging a Further Appointment

It would be worthwhile meeting in a few months
Varrebbe la pena di incontrarci fra qualche mese

Perhaps we could fix a date for another meeting now?
Forse potremmo fissare adesso una data per un altro
appuntamento

Leaving

I think our meeting was very worthwhile / profitable
Penso che sia valsa veramente la pena di incontrarci

Thank you for sparing me some time
La/vi ringrazio vivamente per avermi dedicato il suo/vostro tempo

I'll send you a letter confirming the points we discussed
Le/vi invio una lettera in cui le/vi confermerò i punti discussi assieme

I look forward to meeting you again
Resto in attesa del piacere di incontrarla/incontrarvi ancora

Following Up after an Appointment

Hello Mr/Ms X, this is Richard Gill. Did you have a good trip back?
Buongiorno Signor/Signora X sono Richard Gill. Ha fatto buon viaggio al ritorno?

I just wanted to thank you for sparing me some time the other day
Volevo semplicemente ringraziarla per il suo tempo che mi ha dedicato l'altro giorno

I just wanted to let you know that I have the information / documents we discussed. I will be sending them to you today
Volevo solamente comunicarle che ho le informazioni / i documenti di cui abbiamo discusso assieme. Glieli invierò oggi

I'm looking into the points we discussed and I hope to be able to let you have some information shortly
Ho esaminato a fondo i punti di cui abbiamo discusso e spero di essere in grado di farle avere delle informazioni fra breve

I found your ideas very interesting
Trovo che le sue/vostre idee sono molto interessanti

I'll contact you again when I have more information
La/vi contatterò ancora quando avrò più informazioni

Arrangements, Plans,

preparativi, disposizioni, progetti, intese

see also Appointments, Booking, Hotels, Meetings, Travel

Making Arrangements

I plan to . . .
Ho in progetto di . . .

We intend to . . .
Abbiamo l'intenzione di . . .

We're making arrangements for a meeting on the 12th
Stiamo facendo i preparativi per un appuntamento per il dodici di . . .

I'd like to arrange for a delivery to . . .
Vorrei organizzare una consegna a . . .

Modifying Arrangements

Can I change the arrangements for . . .?
Posso cambiare le disposizioni per . . .?

I'd like to modify the arrangements for . . .
Vorrei modificare le disposizioni per . . .

I'm going to have to change the arrangements for . . .
Mi sa che dovrò cambiare le disposizioni per . . .

It would be easier for me if . . .
Sarebbe più facile per me se . . .

Would you like to change the arrangements?
Vorrebbe modificare le intese?

I was scheduled to . . .
Il mio programma era quello di . . .

Do you mind if we put off the date of the meeting?
Le dispiace se rinviamo la data del nostro
appuntamento?

I want to postpone the meeting we'd arranged
Vorrei posporre l'appuntamento che era stato già fissato

Can we cancel the meeting we'd arranged for . . .?
Possiamo disdire l'appuntamento che era stato fissato
per il . . .?

I'm afraid I've had to put off my trip to . . . (place)
Mi dispiace ma ho dovuto rinviare il mio viaggio a . . .
(località)

I'd prefer to . . .
Preferirei . . .

Cancelling Arrangements

I'm afraid I'll have to cancel our plans
Temo che dovrò disdire i nostri progetti

We'll have to drop the plan / the arrangements
Dovremo rinunciare al progetto / alle intese

We won't be able to meet as planned
Non sarà possibile incontrarci come stabilito

Confirming Arrangements

Can I just confirm the arrangements for . . .
Vorrei solamente confermare le disposizioni per . . .

I would like to check the plans for . . .
Vorrei controllare quanto è stato progettato per . . .

Can you confirm that the arrangements still stand?
Può/potete confermare se le intese sono ancora valide?

Is everything all right for our meeting on the 12th?
È tutto a posto per il nostro appuntamento del dodici?

Are you going ahead with the visit to . . . as planned?
Farà/farete la visita a . . . come programmato?

Is the meeting still going to take place as arranged?
Si farà ancora la riunione come era stato stabilito?

Will I still be able to see you at the trade fair on the 12th?
Mi sarà ancora possibile vederla/vedervi alla Fiera Commerciale del dodici?

Banks, banche

see also Figures

Personal Banking

Could I see the manager please?
Posso parlare al direttore per favore?

I would like to open an account in this bank please
Vorrei aprire un conto in questa banca per favore

Here are my identity card (my passport) and my address
Ecco la mia carta d'identità (il mio passaporto) e il mio indirizzo

I will be receiving regular credit transfers from . . . (my account in England)
Riceverò regolarmente dei trasferimenti a mio credito dal . . . (mio conto in Inghilterra)

I wish to deposit . . . to open the account
Vorrei depositare . . . per aprire il conto

What are the number of my account and the code number of this branch?
Qual'è il numero del mio conto e il codice di questa filiale?

Do you have a list of the addresses of your other branches please?
Ha/avete una lista di indirizzi delle vostre altre filiali?

Do you have a branch in . . .?
Ha/avete una filiale a . . .?

Do you have the addresses of your cash dispensers in Italy please?
Ha/avete per favore gli indirizzi dei Bancomat in Italia?

I wish to transfer some money from this account to my account in Britain
Vorrei trasferire del denaro dal mio conto qui al mio conto in Gran Bretagna

I've arranged for some money to be transferred to my account here from my account in Britain
Ho dato disposizioni alla mia banca in Gran Bretagna di trasferire del denaro sul mio conto qui

Can you tell me whether it has arrived yet please?
Può/potete dirmi se è già arrivato per favore?

I'd like to order a new cheque book please
Avrei bisogno di un nuovo libretto d'assegni per favore

Can I have the balance of my account please?
Mi può dare per favore il saldo del mio conto?

Can I have a statement please?
Mi può dare per favore l'estratto conto?

I would like to withdraw some money please
Vorrei prelevare del denaro per favore

I would like to transfer some money
Vorrei trasferire del denaro per favore

Can I cash this cheque please?
Posso incassare quest'assegno per favore?

My account number is . . .
Il numero del mio conto è . . .
See also **Figures**

It's in the name of . . .
È a nome di . . .

I'd like the money in small / large denomination notes
Mi può dare dei biglietti da . . . (mille, cinquemila,
diecimila etc.)

Can you give me some coins as well please?
Può darmi anche delle monete per favore?

I'd like to order some travellers' cheques please
Vorrei dei traveller cheques per favore

How long will it be before my cheque book is ready?
Quanto tempo ci vorrà prima che il mio libretto
d'assegni arrivi?

Can I have a cheque guarantee card?
Posso avere una carta assegni?

**I'd like to change some pounds please. What is the rate
today?**
Vorrei cambiare delle lire sterline per favore; qual'è il
cambio oggi?

Business Banking

**I expect to be in this area for some weeks and want to
arrange for money to be transferred here for me**
Mi fermerò in questa zona per alcune settimane e vorrei
far trasferire qui del denaro per me

**My company is setting up a distribution centre in the
region and I want to arrange for a company account to
be held here**
La mia società sta istituendo un centro di distribuzione
nella regione e vorrei dare disposizioni per l'apertura di
un conto qui a nome della società

We will be transferring money from our headquarters in Blackpool regularly
Trasferiremo regolarmente del denaro dalla nostra sede di Blackpool

Cheques will be signed by our local manager and by our accountant. I have specimen signatures
Gli assegni saranno firmati dal nostro direttore di zona e dal nostro ragioniere. Ho un esemplare delle firme

Booking, prenotare

see also Appointments, Arrangements,
Exhibitions, Hotels, Restaurants, Travel

Booking a Room for a Conference / Meeting

Do you have a conference room free on . . .?
Ha/avete una sala riunioni libera per il . . .?

How many people does your conference room seat?
Quante persone può accomodare la vostra sala riunioni?

Would you have a room suitable for a meeting?
Avrebbe/avreste una camera / sala adatta per una riunione?

We'd need the room for the whole day
Avremmo bisogno della camera / sala per tutto il giorno

We'd require the room from 5 pm to 10 pm
Avremmo bisogno della camera / sala dalle cinque del pomeriggio fino alle dieci di sera

What facilities does your conference centre provide?
Che facilitazioni offre il vostro centro conferenze?

Can you provide tea / coffee and soft drinks for 30 delegates?
Può/potete provvedere per il tè / caffè e bibite per trenta delegati?

We'd require an OHP and a flipchart
Avremmo bisogno di una lavagna luminosa e di una lavagna a fogli

Do you have a video player and a monitor?
Avete un televideo e un apparecchio?

We'd also require a light lunch / buffet for 19 at about 1 pm
Avremo bisogno anche di un pranzo leggero, tipo buffet, per diciannove persone all'una circa

What would the total charge for the room be?
Quanto sarebbe il costo totale per la sala?

Does the charge include refreshments?
Il prezzo include anche i rinfreschi?

What would the charge for the room be per head?
Quanto sarebbe il prezzo a testa per la sala?

Booking a Table in a Restaurant

Are you open on Mondays?
Siete aperti il lunedì?

The reservation would be for lunch on 23 June
La prenotazione è per il pranzo il ventitrè di giugno

I'd like to reserve a table for 4 people for the evening of 23 June please
Vorrei prenotare un tavolo per quattro persone per la sera del ventitrè di giugno per favore

We'd be arriving at about . . . (9 pm)
Dovremmo arrivare circa alle . . . (nove di sera)

The name is . . .
Il nome è . . .

I'll spell it for you
Glielo sillabo
See also **Restaurants**

Booking a Hotel

Is that the Continent Hotel?
È l'hotel Continent?

I'd like to book a room
Vorrei prenotare una camera

Have you any rooms free on 4 July?
Avete delle camere libere per il quattro di luglio?

What are your rates?
Che prezzo fanno le camere?

I'd like a room with double bed and bath
Vorrei una camera doppia con bagno

The booking would be for 3 nights from 23 to 25 October
La prenotazione sarebbe per tre notti dal ventitrè al venticinque ottobre

I'd prefer a room with a shower
Preferirei una camera con doccia

The booking is in the name of . . .
La prenotazione è a nome di . . .

I'll be arriving late, about 11 pm
Arriverò un pò tardi, verso le undici di sera

Will you hold the reservation please?
Mi trattiene la prenotazione per favore?

I'll fax you / telex you confirmation today
Le/vi invierò un fax / telex di conferma oggi

B
O
O
K
I
N
G

Can you give me your fax number / your telex number please?
Può darmi il suo numero di fax / telex per favore?
See also **Hotels**

Booking a Taxi

Hello? I'd like to book a taxi please
Pronto? Vorrei prenotare un tassì

Can you book me a taxi please?
Mi può prenotare un tassì per favore?

I need a taxi at 5 pm please / at once please
Ho bisogno di un tassì per le cinque del pomeriggio / subito per favore

It's to take me to the airport at . . . (place)
È per condurmi all'aeroporto di . . . (località)

The name is . . .
Il nome è . . .

I'm at the Olympus Hotel
Sono all'albergo Olympus

I'll want picking up at 6 pm
Il tassì dovrebbe venire a prendermi alle sei del pomeriggio

Can you pick me up at 9 am please?
Può venire a prendermi alle nove del mattino per favore?

Booking Theatre, Concert Seats

Do you have any seats left for . . .?
Ci sono ancora dei posti per . . .?

I'd like to book a seat / seats for the show / the concert on the . . .
Vorrei prenotare un posto / dei posti per lo spettacolo / il concerto del . . .

What seats are available?
Che tipo di posti sono disponibili?

Can you show me where they are on the plan?
Può indicarmi dove si trovano sulla piantina?

How much are they?
Quanto costano?

I'd like to book two please
Vorrei prenotare per due per favore

Do you accept payment by credit card?
Posso pagare con una carta di credito?

Which cards do you accept?
Che carte di credito accettate?

Can you put it on my bill please?
Può metterlo sul mio conto per favore?

Booking Plane, Train Seats

See **Travel**

Modifying a Booking

I'd like to change the booking I'd made for 20 March
Vorrei cambiare la prenotazione fatta per il venti di marzo

The booking was made in the name of . . .
La prenotazione è stata fatta a nome di . . .

Could I change the booking to (5 pm on 7 May) please?
Per favore posso cambiare la prenotazione? (La vorrei
per il sette di maggio alle cinque del pomeriggio)

We'll be arriving earlier than planned
Arriveremo prima di quanto stabilito

There will be 6 of us instead of 4
Saremo in sei invece di quattro

**We'll require the room for the whole day instead of just
the morning**
Avremo bisogno della camera / sala per tutto il giorno
invece di solo al mattino

I'd like a double room instead of a single
Vorrei una camera doppia invece di una singola

I'd like the taxi at 4 pm instead of 3 pm
Vorrei il tassì alle quattro del pomeriggio invece delle tre

Cancelling a Booking

**I'm afraid I will have to cancel the booking I made
for . . .**
Mi dispiace ma devo annullare la prenotazione fatta per
il . . .

Can you cancel the booking I made for . . .?
Può annullare la prenotazione fatta per il . . .?
See also **Cancelling**

Confirming a Booking

I want to confirm the booking I made for . . .
Vorrei confermare la prenotazione fatta per il . . .

I'm just checking that you have a booking in the name of . . .
Vorrei solamente controllare che ci sia una prenotazione a nome di . . .

Cancelling, annullare, disdire

see also Appointments, Arrangements, Booking, Hotels, Meetings, Restaurants, Travel

I want to cancel my appointment with Mr Calabrese
Vorrei annullare il mio appuntamento con il Signor Calabrese

I'm ringing to cancel the room I booked for . . .
Telefono per annullare la prenotazione della camera per il . . .

I want to cancel the seat I booked on flight number . . .
Vorrei annullare la prenotazione del posto sul volo numero . . .

I'm afraid I must cancel . . .
Mi dispiace ma devo annullare . . .

I want to cancel the taxi I booked for . . .
Vorrei annullare la prenotazione del tassì per . . .

Can I cancel the table I booked for this evening?
Posso annullare la prenotazione fatta per un tavolo per questa sera?

I'm afraid I have to cancel our meeting / appointment:
Mi dispiace ma devo disdire la nostra riunione / il nostro appuntamento:

- **something has come up**
- è successo qualcosa

- **I'm ill / I've had an accident**
- non sto bene / ho avuto un incidente

Do you mind if I cancel our meeting?
Le dispiace se disdico il nostro appuntamento?

Complaining, reclamare, protestare, rimostrare

see also Hotels, Restaurants

General Complaints

I want to make a complaint
Vorrei fare un reclamo

I want to see the manager, I have a complaint to make
Vorrei parlare con il direttore, ho un reclamo da fare

I'm not satisfied with ...
Non sono soddisfatto del ...

This is not good enough
Questo non basta!

I think you owe me an apology
Penso che lei mi debba delle scuse

I want a refund
Vorrei un rimborso

Complaining about an Order / a Delivery

I have a complaint about the recent delivery we had from you
Vorrei reclamare in merito alla recente consegna da parte vostra

We have a problem with order number 4849/E5
Abbiamo un problema con l'ordine numero 4849/E5

We've only received part of the order
Abbiamo ricevuto solamente una parte dell'ordine

We have been sent . . . in error
Ci avete inviato . . . per sbaglio

The colour is wrong
Il colore non è quello giusto

There are some items missing from the order
Ci sono degli articoli che mancano dall'ordine

The contents of some of the boxes are damaged
Il contenuto di alcune scatole è danneggiato

We wondered why we hadn't received the goods we ordered yet
Ci chiedevamo come mai non abbiamo ancora ricevuto la merce ordinata

Do you think you can sort the problem out?
Pensa di poter risolvere il problema?

How long will it take to sort out the problem?
Quanto tempo ci vorrà per risolvere il problema?

We're very disappointed with the performance of the machines you sold us recently
Siamo molto delusi del funzionamento della macchina da voi vendutaci recentemente

I'm telephoning to cancel our order (number 5574/tr). I will fax a letter in confirmation
Telefono per annullare il nostro ordine (numero 5574/tr); le invierò una lettera di conferma a mezzo fax

Computers, computer

see also Describing

General Questions about Computers

What size RAM does this machine have?
Quanti RAM ha questa macchina?

What is the capacity of the hard disc?
Qual'è la capacità dell'hard disco?

Do you know how to use this system?
Sa come usare questo sistema?

What type of floppy disc do you use?
Che tipo di floppy disco usate?

Do you have a modem?
Avete un modem?

Can I fax directly from your computer?
Posso inviare il fax direttamente dal suo/vostro computer?

Do you have elctronic mail?
Avete la posta elettronica?

Are you linked to Transpac?
Siete collegati con Transpac?

Do you have access to Transpac?
Avete accesso al Transpac?

Do you have a group IV fax machine?
Avete una macchina fax del gruppo quarto?

Can you send us the data? What is your baud rate?
Può/potete inviarci i dati? Qual'è la vostra tariffa 'baud'?

Does your system run on MS/DOS?
Il vostro è un sistema operativo MS/DOS?

Is the system IBM compatible?
È un sistema compatibile con IBM?

Do you have a laser printer?
Ha/avete una stampante laser?

Can I send you the details on disc?
Posso inviarle i dettagli su disco?

What software do you use?
Che tipo di software usate?

Are you networked?
Siete su una rete / avete una rete?

Do you have a scanner / CD ROM storage?
Avete uno scanner / uno storage CD ROM?

Describing the System

in general

All our machines are networked
Tutte le nostre macchine sono su una rete

We have an ethernet
Abbiamo un ethernet

There is a token ring network on the first floor
Al primo piano c'è una rete a network

This site has a LAN network
Questo posto ha una rete LAN

The computers are linked to a laser printer / an ink jet printer on each floor
I computer sono collegati su ogni piano a una stampante laser / una stampante a getto d'inchiostro

There is a dot matrix printer for internal use
C'è una stampante ad aghi per uso interno

We transmit data via modem
Trasmettiamo i dati a mezzo modem

We hope to be linked to our company network soon
Speriamo di essere collegati quanto prima alla rete della nostra società

Each work station has a colour screen
Ogni stazione di lavoro ha uno schermo a colori

Access to the central database is controlled by different levels of password
L'accesso alla base dati centrale è controllato da livelli differenti di parola chiave

All sales intelligence / client records are stored centrally
Tutte le informazioni sulle vendite / registrazioni clienti sono archiviate centralmente

We chose the UNIX environment
Scegliamo l'ambiente UNIX

It's an open system
È un sistema aperto

We now use CD ROM storage for financial records
Adesso usiamo lo storage CD ROM per le registrazioni contabili

Our software was designed specially for us
Il nostro software è stato progettato appositamente per noi

in some detail

Each printer is used by 6 work stations
Ogni stampante è usata da sei stazioni di lavoro

We use external hard discs
Usiamo hard dischi esterni

Every executive uses the word processing software as well as the spreadsheet programme
Ogni dirigente usa il software per il wordprocessor così come il programma spreadsheet

The system is supplied with a mouse
Il sistema è fornito di un mouse

Files are backed up on tape storage every evening
Ogni sera le schede sono registrate su cassette di archivio

We use computer assisted design in the laboratories
Nei laboratori usiamo disegni / progetti realizzati su computer

We use a DTP system for new product information
Per le informazioni dei nuovi prodotti usiamo un sistema DTP

Using a Computer

How do I open the sales file?
Come faccio ad aprire lo schedario vendite?

How do I access the data?
In che modo ho accesso ai dati?

How do I reformat?
Come riformatto i dischi per l'uso su computer?

What is the password?
Qual'è la parola chiave?

What are the commands for cut and paste?
Quali sono i tasti per cut e paste?

Can you make a hard copy of the report?
Può produrre una copia del rapporto su foglio normale?

Can I print out the file on last month's sales?
Posso stampare le schede delle vendite del mese scorso?

What software do you use?
Che tipo di software usate?

What is the operating system?
Qual'è il sistema operativo?

How do I shut down the computer?
Come fermo il computer?

Congratulations, complimenti

Well done!
Molto bene!

You did well!
Molto bene!

Well done, a good result!
Molto bene, un risultato ottimo!

Excellent figures, well done!
Delle cifre eccellenti; molto bene!

Congratulations!
Complimenti!

A great achievement!
Un gran successo!

That was just right!
È/era proprio fatto bene

You've earned it
Se lo è guadagnato

You worked hard for it
Se lo è proprio guadagnato

You did a good report / presentation
Ha fatto proprio un buon rapporto / una buona
presentazione

Delivery, consegna
Transport, trasporto

Arranging Delivery

supplier / transporter

When can we deliver?
Quando possiamo effettuare la consegna?

When would it be convenient to deliver your order?
Quando sarebbe possibile effettuare la consegna del vostro ordine?

Do you have a fork lift truck?
Avete un carrello elevatore?

The load weighs 3.2 tons and has a volume of 2 cubic metres
Il carico pesa tre virgola due tonnellate ed ha un volume di due metri cubi

Do you have lifting gear at the factory?
Avete un'attrezzatura di sollevamento allo stabilimento / all'officina?

Which address do you want the order delivered to?
A che indirizzo bisogna consegnare la merce?

The goods will be covered by our insurance until they are delivered
Le merci saranno coperte dalla nostra assicurazione fino al momento in cui sono consegnate

Can you give me directions to your factory?
Mi dà delle indicazioni come arrivare al vostro indirizzo?

Can you give me the delivery address?
Mi può dare per favore l'indirizzo per la consegna?

When can we collect the load you want delivered to San Polino?
Quando possiamo venire a prendere il carico da consegnare a San Polino?

Do you need a refrigerated container?
Avete bisogno di un container refrigerato?

Do you have container handling facilities?
Avete facilitazioni per container?

customers' inquiries

When would you be able to deliver a load to our factory at Farley?
Quando vi sarebbe possibile effettuare la consegna di un carico al nostro stabilimento di Farley?

How soon could you deliver?
Qual'è la data per una consegna la più veloce?

When do you expect to deliver the order?
Quando pensate di consegnare la merce?

Can you deliver earlier / later?
Potete effettuare la consegna prima / più tardi?

Would you be able to collect the load on 4 May?
Le/vi sarebbe possibile venire a ritirare il carico il quattro di maggio?

I want to arrange the delivery of a load to Mantova
Vorrei dare le disposizioni per una consegna di un carico a Mantova

The load is on 4 pallets
Il carico è su quattro pallets

The order will be ready for collection on 4 May
La merce sarà pronta per il ritiro il quattro maggio

What are your rates?
Quali sono le vostre tariffe?

Can you pick up a load at Farley for delivery to Mantova?
Potete ritirare un carico a Farley per una consegna a Mantova?

I believe you have a regular run to Pisa?
Ho sentito che lei/voi fa/fate dei viaggi regolari a Pisa?

I'll fax / telex the details to you today
Oggi le/vi invio i dettagli a mezzo fax / telex

The documents will be ready when the driver calls for the load
I documenti saranno pronti quando il conducente verrà per il carico

The cost of transport will be paid by the customer
Il costo del trasporto sarà pagato dal cliente

problems

I'm afraid our lorry has been involved in an accident
Mi dispiace ma il nostro camion è stato coinvolto in un incidente

There will be a delay in delivery because:
Ci sarà un ritardo nella consegna perchè:

- **there is a strike at Hamburg**
- c'è stato uno sciopero ad Amburgo

- **of the need to repack the goods**
- si è reso necessario di riimballare la merce

- **the lorry has broken down**
- il camion ha avuto un guasto

- **there have been problems with the documents at customs**
- si sono avute difficoltà con i documenti alla dogana

- **the sailing of the ferry has been delayed**
- la traversata del traghetto è stata ritardata

- **the airport at Bruges is closed**
- l'aeroporto di Bruges è chiuso

Our lorry has gone to the wrong address and will be 2 days late delivering to you
Il nostro camion si è recato all'indirizzo sbagliato e pertanto vi consegnerà la merce con due giorni di ritardo

Our lorry was broken into at . . . and your goods are missing. We will let you know as soon as we have further information
Il nostro camion è stato vittima di un furto a . . . e le vostre merci sono sparite. Vi faremo sapere qualcosa in merito non appena avremo ulteriori informazioni

**We are sorry that the refrigeration plant broke down
and the load was spoilt**
Siamo spiacenti che il reparto refrigerazione abbia avuto
un guasto e che il carico sia stato rovinato

**I'm afraid that part of your load has been damaged;
we've informed the insurers**
Temo che parte del suo/vostro carico sia stata
danneggiata; ne abbiamo informato la compagnia
assicuratrice

Describing, descrizioni

*see also Accounts, Computers, Directions,
Organisation Structure, Presentations, Tours*

Describing a Company

company structure

**The group is made up of 10 companies under a holding
company**
Il gruppo è composto di dieci ditte sotto una società
finanziaria

It's a company registered in Luxemburg
È una società iscritta nel registro di Lussemburgo

The company has 2 factories and 8 warehouses
La società ha due stabilimenti e otto magazzini

It is established in 6 different countries
È stabilita in sei paesi differenti

It's a subsidiary of . . .
È una sussidiaria di . . .

It's a wholly owned subsidiary of . . .
È una sussidiaria di proprietà interamente di . . .

It's a branch / division of . . .
É una filiale / sezione di . . .

The holding company is called . . .
La società finanziaria si chiama . . .

The main company is . . .
La società principale è . . .

The headquarters / main offices are in . . .
Le sedi / gli uffici principali sono a . . .

The company has 35% of the shares of . . .
La societá ha un trentacinque per cento di azioni
della . . .

The Bank of . . . has a 10% stake in the company
La Banca di . . . ha un dieci per cento di interessi nella
società

They're a big / small company
Rappresentano una grande / piccola società

It's managed by Omnius Plc / Giovanni Paolotti
È amministrata dalla Omnius Plc / da Giovanni Paolotti

company activities

The company is involved in distribution
La società si occupa di distribuzioni

They're in manufacturing
Sono dei produttori

Infotell is a small software house
La Infotell è una piccola casa di software

We're in PR
Ci occupiamo di Relazioni Pubbliche

Le Generali are in insurance
Le Generali si occupano di assicurazioni

The company has a good reputation
La società ha una buona reputazione

We're a firm of consultants
Noi siamo una ditta di consulenti

The company has diversified into property development
La società ha diversificato: ha interessi nello sviluppo di proprietà immobiliari

We're involved in a joint venture with Marelli SpA
Siamo occupati in una partecipazione con la Marelli SpA

The main activity of the company is security systems
L'attività principale della società è nei sistemi di sicurezza

They are the leading company in hotels
È la prima società nel campo alberghiero

The company has been very successful in . . .
La società ha avuto molto successo nel/nella . . .

We develop systems (for . . .)
Noi sviluppiamo sistemi (per . . .)

We're a Plc
Noi siamo una società pubblica a responsabilità limitata

It's a public limited company / a private limited company
È una società pubblica a responsabilità limitata / una società privata a responsabilità limitata

We have 220 employees
Noi abbiamo duecentoventi impiegati

Describing a Company Building

The building is L-shaped / cube-shaped
L'edificio è a forma di L / a forma di cubo

It's a five-storey building / a single-storey building
È un edificio a cinque piani / un edificio a un piano

It's in its own grounds
È situato nel terreno di proprietà

The building is brick faced / aluminium clad
L'edificio ha la facciata di mattoni / è rivestito
d'alluminio

The plant is rather old
Lo stabilimento è piuttosto vecchio

It's a modern building with light-reflecting windows
È un edificio moderno con finestre a luce riflessa

They're open plan offices
Sono degli uffici senza divisori

**There is an atrium in the centre with a reception desk
and a drinks machine**
C'è un atrio al centro con la ricezione e una macchina
per le bibite

There is a modern sculpture in the forecourt
C'è una scultura moderna nel cortile davanti all'edificio

Describing Yourself / a Business Colleague / a Client

appearance

**I am / she is tall / short / of medium height / above
average height**
Io sono / lei è alto/alta / basso/bassa / di media statura / di
statura oltre la media

I have / he has greying hair / he is bald / she has very short hair
Io ho / lei ha capelli grigi / lui è calvo / lei ha i capelli molto corti

She wears glasses / dark glasses
Lei porta gli occhiali / degli occhiali scuri

He tends to wear dark / light-coloured suits
Lui indossa quasi sempre vestiti scuri / vestiti chiari

He likes loud ties
Gli piacciono cravatte vistose

ability

She is:
Lei è:

He is:
Lui è:

- **very sharp / very bright**
- molto sveglia / molto intelligente

- **a good listener, but she makes her own judgements**
- una che ascolta bene ma prende le proprie decisioni

- **very dynamic / rather aggressive**
- molto dinamica / piuttosto aggressiva

- **very sharp / very bright**
- molto sveglio / molto intelligente

- **a good listener, but he makes his own judgements**
- uno che ascolta bene ma prende le proprie decisioni

- **very dynamic / rather aggressive**
- molto dinamico / piuttosto aggressivo

- **a good team member**
- una buona collaboratrice

- **a good salesperson, a good communicator**
- una buona venditrice / una buona comunicatrice

- **a bit erratic / very reliable**
- un pò eccentrica / molto fidata

- **a bit introverted / an extrovert**
- un pò introversa / un' estroversa

- **a good team member**
- un buon collaboratore

- **a good salesperson, a good communicator**
- un buon venditore / un buon comunicatore

- **a bit erratic / very reliable**
- un pò eccentrico / molto fidato

- **a bit introverted / an extrovert**
- un pò introverso / un estroverso

I work for Granton Plc
Io lavoro per la Granton Plc

I work for a firm of manufacturers
Io lavoro per una ditta di produzione

I'm a manager with ...
Sono direttore nella ...

She's very active
Lei è molto attiva

I like working with a team
Mi piace il lavoro di gruppo

I'm very systematic
Sono molto metodico

Describing a Product

It's an excellent product
È un prodotto eccellente

It's been selling very well
Ho fatto delle ottime vendite

Reliability is very good / above average
La resistenza è ottima / è superiore alla media

The capital cost is high but the running costs are very low
Il costo di capitale è alto ma i costi di gestione sono molto bassi

It will pay for itself within a year
Le spese saranno ammortizzate nel giro di un anno

This trade mark has always been a good indication of quality
Questo marchio di fabbrica è sempre stato un segno di qualità

It's the best make available
È la marca migliore sul mercato

It uses the latest technology / leading edge technology
Usa la tecnologia più recente / la tecnologia più avanzata

There are a number of similar products on the market
Ci sono parecchi prodotti simili sul mercato

This is the only one of its type
Questo è l'unico nel suo genere

It's portable and very easy to use
È portatile e molto facile da usare

It will make a lot of cost savings possible
Farà risparmiare parecchio nei costi

It will reduce unit costs
Ridurrà i costi dell'unità

Directions, indicazioni, direzioni

Asking for Directions

Can you tell me how to find . . .?
Per favore mi può indicare come fare per arrivare a . . .?

Is this the right way to . . .?
Scusi, va bene questa direzione per andare a . . .?

Am I on the right road for . . .?
Scusi, sono sulla strada giusta per . . .?

Can you tell me how to get to . . .?
Scusi, mi può dire come fare per andare a . . .?

I'm going to . . . Can you tell me the best way to get there?
Scusi, devo andare a . . . Mi può dire quale strada prendere?

Which road do I take for . . .?
Scusi, che strada devo prendere per andare a . . .?

Which direction is Pona in please?
Scusi, mi può dire per favore in che direzione si va per Pona?

Is it far to Pona?
Pona, è lontana da qui?

How long will it take me to get to Pona?
Quanto tempo ci vuole per arrivare a Pona?

How far is it to Pona from the station?
Quanto dista Pona dalla stazione?

Which is the way to Mr Desoto's office please?
Mi può indicare dov'è l'ufficio del Signor Desoto per
favore?

How do I get to . . .?
Scusi, per andare a . . .?

**I've come to see the managing director. Can you tell me
which is his office please?**
Sono venuto per parlare al consigliere delegato; mi può
dire per favore dov'è il suo ufficio?

Is this where I can find . . .?
È qui dove posso trovare . . .?

Giving Directions

general

**Go through the door at the end of the corridor / on the
left / on the right**
Vada per quella porta in fondo al corridoio / a sinistra / a
destra

Go straight on
Vada sempre diritto

Go to the end of the corridor
Vada in fondo al corridoio

It's at the end and on the left
È in fondo e poi a sinistra

Turn right / left at the end of the corridor
Giri a destra / a sinistra alla fine del corridoio

The visitors' car park is on your left / right
Il parcheggio per gli ospiti / i visitatori è alla sua sinistra /
destra

Take the third turning on the left / right
Prenda la terza a sinistra / destra

Go down / up a flight of stairs
Scenda / salga una rampa di scale

**Take the lift to the 6th floor and turn right / left / go
straight ahead on leaving the lift**
Prenda l'ascensore fino al sesto piano e poi giri a
destra / sinistra / vada sempre diritto dopo essere uscito /
uscita dall'ascensore

The office is facing you as you leave the lift
Quando esce dall'ascensore l'ufficio è proprio di fronte a
lei

His office is on the left as you go through the doors
Passate le porte il suo ufficio è sulla sinistra

The office is in the tall building at the end of the drive
L'ufficio è nell'edificio alto alla fine del viale

**I'm afraid you've come to the wrong building / the
wrong entrance**
Mi dispiace ma questo non è l'edificio giusto / l'entrata
giusta

I'll show you how to get to the right place
Le indico come arrivare al posto giusto

I'll take you there
Glielo indico io; mi vuol seguire per favore?

It's about 5 minutes' walk
Son circa cinque minuti a piedi

It takes about 30 minutes in a car
Ci vogliono circa trenta minuti in macchina

location

It's facing . . .
È di fronte a . . .

It's near . . .
È vicino a . . .

It's at the end of . . .
È alla fine di . . .

It's just off the central roundabout
È proprio alla fine della rotonda centrale

Leave the motorway at Hangford and you'll see it there
Lasci l'autostrada a Hangford e dopodichè è proprio lì

The main entrance is on the N 12
L'entrata principale è sulla N [*enne*] dodici

It's on the industrial estate / the science park at . . .
È nel villaggio industriale / nel Parco della Scienza a . . .

The building is not far from:
L'edificio non è lontano:

- **the motorway / the main road**
- dall'autostrada / dalla strada principale

- **the railway station / the airport**
- dalla stazione ferroviaria / dall'aeroporto

- **the underground station / your hotel**
- dalla metropolitana / dal suo/vostro albergo

St Stephen's Road is the road leading from the central roundabout to the football stadium
La strada St Stephen è quella che parte dalla rotonda centrale allo stadio calcistico

Disagreeing, disaccordo, essere in disaccordo

see also Meetings, Negotiations

No
No!

That can't be right
Non è giusto!

No that's not quite true
No, non può essere vero!

That's not true
No, non è vero!

That's just not the case
No, non è il caso

I don't agree / I disagree
No, non sono d'accordo / sono in disaccordo

I'm afraid I don't agree
Mi dispiace ma non sono d'accordo

I can't agree
Non posso essere d'accordo

I'm sure you're wrong
Sono sicuro che lei/voi si sbaglia/vi sbagliate

I think you must be wrong
Penso che lei/voi si sbagli/vi sbagliate

I'm sorry to disagree but . . .
Mi dispiace di essere in disaccordo, ma . . .

I have to differ with you on this point
Devo essere in disaccordo con lei/voi su questo punto

I'm not altogether convinced
Non sono del tutto convinto

I'm not sure
Non sono sicuro

I must question that
Devo contestare ciò

I still think that's wrong
Penso ancora che sia sbagliato

That's ridiculous
È assurdo!

The Economy, l'economia

see also Figures

Talking about the Economy

results

There is inflationary pressure
C'è pressione di inflazione

The currency is very weak
La valuta è molto debole

The exchange rate is poor
Il tasso di cambio è molto basso

The trade balance is in deficit
Il bilancio importazioni-esportazioni è in deficit

There is a large trade gap
C'è una grande lacuna commerciale

Exports are weak / strong
Le esportazioni sono basse / alte

Invisible earnings have increased
I redditi invisibili sono in aumento

Inflation has increased
L'inflazione è aumentata

There has been a slump in building
C'è stata una crisi economica nelle costruzioni

The tourist industry is booming
L'industria turistica è in gran sviluppo

The industry is suffering from lack of investment
Le industrie soffrono di mancanza di investimenti

Export sales are buoyant
Le vendite d'esportazione sono alte

Interest rates are high
I tassi d'interesse sono alti

There is a shortage of skilled labour
C'è carenza di mano d'opera specializzata

There have been a lot of strikes
Ci sono stati molti scioperi

Political uncertainty has affected the economy
L'instabilità politica è stata un colpo per l'economia

trends

The consumer goods / luxury goods market is growing fast
Il mercato dei generi di consumo / dei generi di lusso è in aumento

Agriculture is becoming more mechanised
L'agricoltura è diventata più meccanizzata

Invisible exports are growing
Le esportazione invisibili sono in aumento

Exports are slowing
Le esportazioni sono rallentate

Unemployment is high and growing
La disoccupazione è grande e in aumento

Unemployment is low but it is growing
La disoccupazione è poca ma è in aumento

Wages are rising fast at present
Attualmente le paghe stanno aumentando molto

Capital investment is increasing
L'investimento di capitale è in aumento

the outlook

The outlook is good / poor
La prospettiva è buona / non è buona

The trend is downward / upward
La tendenza è verso il basso / verso l'alto

Interest rates are unlikely to fall this quarter
È improbabile che i tassi d'interesse scendano questo trimestre

Import controls are possible
I controlli di importazioni sono possibili

Inflation should begin to fall soon
L'inflazione dovrebbe incominciare a diminuire ben presto

Demand should increase this year
Quest'anno la domanda dovrebbe aumentare

The (luxury goods) sector could soon become saturated
Il settore dei (generi di lusso) potrebbe ben presto arrivare in saturazione

It's thought that the market for household electrical goods will grow
Si pensa che il mercato degli elettrodomestici aumenterà

There should be a growing demand for . . .
Ci dovrebbe essere una domanda crescente per . . .

Exhibitions / Trade Fairs,
esposizioni / fiere commerciali

Before an Exhibition / Trade Fair

making enquiries

Can you tell me the dates of the . . . trade fair please?
Mi può dare per favore le date per la fiera commerciale . . .?

When is the last date we can book a stand?
Fino a quando si può prenotare uno stand?

What spaces do you have left?
Che posti sono disponibili?

When is the exhibition open to the public?
Quando è aperta l'esposizione al pubblico?

When is the trade day?
Qual'è il giorno per i commercianti?

How many visitors did you have last year?
Quanti visitatori ci sono stati l'anno scorso?

Could you let us have a list of the exhibitors / the visitors at last year's trade fair?
Sarebbe possibile farci avere una lista di espositori / di visitatori alla fiera commerciale dell'anno scorso?

Could we have some literature on the show please?
Per favore è possibile avere degli opuscoli sulla mostra?

Have you received any bookings from companies in our type of activity?
Avete ricevuto delle prenotazioni da società che sono nel nostro genere di attività?

What sort of publicity have you organised?
Che tipo di pubblicità avete organizzato?

Did the show get much press coverage last year?
L'anno scorso la stampa si è occupata molto della mostra?

Is it a shell scheme?
È uno schema ad ossatura?

What is the cost of advertising in the catalogue?
Quanto costa fare la pubblicità nel catalogo?

How do I book a stand?
Come si fa a prenotare uno stand?

What does the cost include?
Cos'è compreso nel costo?

Does the cost include insurance?
L'assicurazione è inclusa nel costo?

What is the cost of a stand?
Qual'è il costo di uno stand?

Is the exhibition sponsored?
La mostra è offerta da qualcuno?

Is that per day or for the duration of the show?
Questo è per un giorno o per la durata della mostra?

What type of insurance is there on the stand?
Che tipo di assicurazione c'è sullo stand?

How many stands will there be?
Quanti stand ci saranno?

Are there any events during the trade fair?
Ci sono degli altri avvenimenti durante la fiera
commerciale?

What risks does the insurance cover?
Che tipo di rischi sono coperti dall'assicurazione?

Do you issue complimentary tickets?
Rilasciate dei biglietti d'omaggio?

How many complimentary tickets do you supply?
Quanti sono i biglietti d'omaggio a disposizione?

Can we arrange to have a stand built for us?
È possibile avere uno stando costruito per noi?

How many exhibitors' badges can we have?
Quanti distintivi per gli espositori si possono avere?

What parking facilities are there for exhibitors?
Che facilitazioni di parcheggio ci sono per gli espositori?

Is the exhibition hall patrolled at night?
Il salone delle esposizioni è pattugliato durante la notte?

What is the maximum permitted height of stands?
Che cos'è permesso come altezza massima per gli stand?

Whom do we contact to arrange for power points?
Chi bisogna contattare per accordarsi sulle prese di
corrente?

booking a stand

I would like to book a stand for the exhibition
Vorrei prenotare uno stand per l'esposizione

Do you still have:
Avete ancora:

- **a corner stand?**
- uno stand d'angolo?

- **a stand near the main entrance?**
- uno stand vicino all'entrata?

- **a stand near the enquiry desk?**
- uno stand vicino all'ufficio informazioni?

- **a stand near the bar?**
- uno stand vicino al bar?

- **a stand on the central passageway?**
- uno stand vicino al corridoio?

I would like a corner stand
Vorrei uno stand d'angolo

We want a stand near / away from the stand occupied by . . .
Vorremmo uno stand vicino allo stand / lontano dallo stand occupato da . . .

I would like stand number . . .
Vorrei avere lo stand numero . . .

We will build the stand ourselves
Costruiremo lo stand noi stessi

Our agents will build the stand
I nostri agenti costruiranno lo stand

Can you fax me a booking form? My fax number is . . .
Mi può inviare per fax un modulo di prenotazione? Il
numero del mio fax è . . .

Can I fax you a reservation? What is your fax number?
Posso inviarle per fax una prenotazione? Qual'è il
numero del suo fax?

**Will it be possible to get a list of the visitors after the
show?**
Sarebbe possibile avere una lista di visitatori dopo la
mostra?

Can you recommend a firm of stand builders?
C'è una ditta di costruttori di stand che voi
raccomandereste?

We will require electric points and spot lighting
Avremo bisogno di prese di corrente e di riflettori

Can you recommend a hotel?
C'è un albergo che lei mi raccomanderebbe / voi mi
raccomandereste?

Can you let us have the application form for the show?
Potrebbe farci avere il modulo di richiesta per la mostra?

**Can you send all correspondence about the fair to me,
as I'm the stand manager?**
Può inviare a me tutta la corrispondenza riguardante la
fiera? Sono il direttore che si occupa degli stand

dealing with enquiries

Our insurance covers . . .
La nostra assicurazione copre . . .

There will be 100 exhibitors
Ci saranno cento espositori

We had 120,000 visitors last year
L'anno scorso abbiamo avuto centoventimila visitatori

TV 7 will be at the exhibition and there will be a special edition of Enterprise Weekly
TV 7 sarà presente all'esibizione e inoltre ci sarà un'edizione speciale dell'Enterprise Weekly

The exhibition is sponsored by . . .
L'esposizione è offerta da . . .

There is an exhibitors' car park next to the site
C'è un parcheggio per gli espositori vicino alla fiera

Each stand has a 13 amp power point. The voltage is 240 volts
Ogni stand ha una presa a tredici amp; il voltaggio è duecentoquaranta

We can arrange for additional power points
Possiamo dare disposizioni per ulteriori prese di corrente

The cost of . . . is included in the cost of the stand but you will be invoiced for the cost of electricity used on the stand
Il costo di . . . è incluso nel costo dello stand, ma le/vi sarà fatturato a parte il costo dell'elettricità che si usa nello stand

We can send you full details by fax today – would you like to give me your fax number?
Le/vi possiamo inviare per fax oggi tutte le informazioni dettagliate – mi può dare il suo numero di fax per favore?

I will send you the booking form straight away
Le/vi invierò il modulo di prenotazione immediatamente

Who should we send the literature to?
A chi dovremmo inviare gli opuscoli?

Catalogues will be available 7 days before the opening of the exhibition
I cataloghi saranno disponibili sette giorni prima dell'apertura dell'esposizione

Our staff ensure stand security at night
Il nostro personale è incaricato della sicurezza degli stand durante la notte

Please let us have the documents confirming your participation in the show as soon as you arrive
Potete farci avere per favore, non appena arrivate, i documenti in cui si conferma la vostra partecipazione alla mostra

If you need any other information do not hesitate to contact us
Se avete bisogno di altre informazioni vi preghiamo di contattarci immediatamente

At an Exhibition

starting a conversation

Hello, I represent Howden Services, how can I help?
Buongiorno. Io rappresento la Howden Services, in che cosa posso esserle/esservi utile?

Let me give you one of our brochures
Mi permetta di darle uno dei nostri opuscoli

Have you come across our products before?
Conoscete i nostri prodotti?

What do you know about Howden Services?
Che cosa sapete in merito alla Howden Services?

Which part of our display are you interested in?
In quale parte della nostra esposizione siete interessati?

What do you use for (data storage) in your company?
Che cosa usate per (archivio dati) nella vostra società?

Who supplies your . . . at present?
Chi vi fornisce . . . attualmente?

Have you ever used our products / machines / services?
Avete mai usato i nostri prodotti / le nostre macchine / i nostri servizi?

Would you like to try them?
Le/vi piacerebbe provarli?

Let me show you our new model / product
Le/vi mostro il nostro nuovo modello / prodotto

If you have a moment to spare, I'll show you some of our . . . (products)
Se ha un minuto le/vi mostro alcuni dei nostri . . . (prodotti)

Would you like a drink while I show you . . .?
Vorrebbe/vorreste bere qualcosa mentre le/vi mostro . . .?

Are you familiar with . . .?
Conosce/conoscete bene il/la . . .?

Do you know of . . .?
Avete sentito parlare di . . .?

We're offering a discount of 10% on all orders placed during the exhibition
Offriamo uno sconto del dieci per cento su tutti gli ordini che i clienti passano durante l'esposizione

saying more about your company

We're well known in Britain, and we're now starting to get known over here
Siamo molto conosciuti in Gran Bretagna e adesso cominciamo ad essere conosciuti anche da queste parti

We're an SME based in (the north / south) of England (based in Wales, Scotland)
Siamo una SME con base nel (Nord / Sud) dell'Inghilterra (con base nel Galles / nella Scozia)

We've made our reputation in (the ... sector)
Abbiamo una reputazione nel (settore di ...)

We're the leading British company for ...
Siamo la società britannica più importante nel campo di ...

We're a new company and we've just launched ...
Siamo una nuova società ed abbiamo appena lanciato ...
See also **Describing**

I'm the (director of marketing)
Sono il (direttore del marketing)

This is the first time that we've been represented at an exhibition in this country
Questa è la prima volta che la nostra società è stata rappresentata ad un'esposizione in questo paese

We've been very pleased with the amount of interest in our stand
Siamo molto soddisfatti del numero di interessati nel nostro stand

finding out more about the visitor

What's the main activity of your business?
Qual'è l'attivita' principale della vostra azienda?

I don't think I caught your name
Mi è sfuggito il suo nome

Out of interest, what's your company called?
Per pura curiosità, come si chiama la sua/vostra società?

Are you involved in selecting new products?
Siete interessati nella selezione di nuovi prodotti?

Let me show you the advantages / features of our . . .
Mi permetta di mostrarle/mostrarvi i vantaggi / le caratteristiche del nostro . . .

How does our . . . compare with what you are using at the moment?
Come trova/trovate il nostro . . . paragonato a quello che voi usate attualmente?

Would you like us to give you a quote?
Vorreste una nostra quotazione?

Can I leave you my card?
Posso lasciarle il mio biglietto da visita?

Do you have a card?
Ha un biglietto da visita?

Oh, you're an exhibitor as well? Which stand are you on? I'll come and see you
Ah! Lei è/voi siete anche qui come espositore? Qual'è il vostro stand? Vengo a trovarla/a trovarvi

Can I just take your details and we'll contact you after the exhibition?
Se mi dà i suoi dati mi metterò in contatto con lei dopo l'esposizione

Would you like to leave your details?
Potrebbe darmi i suoi dati?

Have you got a business card?
Ha un biglietto da visita?

dealing with more than one visitor

Can I introduce you to my colleague Alan? – Alan, this is . . . , he's from . . .
Posso presentarla al mio collega Alan? – Alan, questo è il Signor . . . è di . . .

Can I leave you to discuss . . . with my colleague while I have a few words with this other visitor?
. . . posso lasciarla / lasciarvi con il mio collega per discutere di . . ., mentre do retta all' altro visitatore

I'll be with you in a moment, would you like to sit down?
Un minuto per favore; vuole accomodarsi / volete accomodarvi?

Would you like to look through our catalogue? I'll be with you shortly
Vorrebbe esaminare il nostro catalogo? – Vengo subito

Can I offer you something to drink while I talk to my other client?
Posso offrirle/offrirvi qualcosa da bere mentre parlo con l'altro cliente?

arranging a follow-up meeting

I'll contact your secretary tomorrow to make an appointment
Domani chiamo la sua segretaria per fissare un appuntamento

When would be a good time to come and see you?
Quando sarebbe possibile venire a vederla/a vedervi?

Would you like to make an appointment now?
Vorrebbe fissare un appuntamento adesso?

Whom should I contact in your organisation to arrange a presentation?
Di chi devo chiedere nella vostra società per combinare una presentazione?

When would you like me to come and give a demonstration?
Quando sarebbe possibile per me venire e darle/darvi una dimostrazione?

I'll give you a ring in a few days to see if we can discuss this further
Le telefonerò fra qualche giorno per sentire se possiamo discutere di ciò ulteriormente

When would be a good time to contact you?
Qual'è il periodo più conveniente per contattarla/contattarvi?

Would you like to leave me your details? I might be able to help you
Può darmi i suoi dati? È probabile che possa esserle d'aiuto

If you leave your address I'll arrange for our local sales consultant to visit you
Se mi lascia il suo indirizzo la farò visitare dal nostro consulente locale alle vendite

If you could leave your details / your business card, I'll send you more information
Se mi dà i suoi dati / il suo biglietto da visita con l'indirizzo della società le invierò ulteriori informazioni

We'll be on Stand 564 at the International Exhibition in . . .
Saremo allo Stand cinquecentosessantaquattro alla fiera internazionale di . . .

We'll be pleased to see you there
Saremo lieti di incontrarla/incontrarvi in quell'occasione

If you'd like to come back in an hour, we'll be demonstrating the new model
Se non le/vi dispiace tornare fra un'ora, saremo lieti di dimostrarle/dimostrarvi il nuovo modello

I look forward to meeting you again. Goodbye
Al piacere di incontrarla/incontrarvi ancora. Arrivederci

Figures and Numbers, cifre e

numeri

General

0	zero
1, 2, 3, 4, 5 . . .	uno, due, tre, quattro, cinque . . .
21	ventuno
22	ventidue
31	trentuno
32	trentadue
40	quaranta
50	cinquanta
60	sessanta
70	settanta
71	settantuno
72	settantadue
80	ottanta
81	otantuno
82	ottantadue
90	novanta
91	novantuno
92	novantadue
100	cento
101	centouno
102	centodue
121	centoventuno
122	centoventidue
200	duecento
201	duecentouno
223	duecentoventitrè
1 000	mille
1 001	mille e uno
1 131	millecento trentuno
1 133	millecento trentatrè
10 000	diecimila

10 341	diecimila trecentoquarantuno
12 391	dodicimila trecentonovantuno
100 000	centomila
1 000 000	un milione
2 000 000 000	due miliardi

Decimal Figures

The Italians generally use the comma (*la virgola*) to indicate the decimal point. It is becoming more common however, especially when reading figures from digital displays, to hear figures quoted with the decimal point.

8.5	**eight point five**
8,5	otto virgola cinque
8.78	**eight point seven eight**
8,78	otto virgola settantotto
3.612	**three point six one two**
3,612	tre virgola seicentododici

Ordinal Numbers

1st	**the first**
1mo, 1ma	primo, prima, primi, prime
2nd	**the second**
2o, 2a	secondo, seconda, etc.
3rd	**the third**
3o, 3a	terzo, terza, etc.
13th	**the thirteenth**
13o, 13a	tredicesimo, tredicesima, etc.

17th 17o, 17a	**the seventeenth** diciassettesimo, diciassettesima, etc.
20th 20o, 20a	**the twentieth** ventesimo, ventesima, etc.
40th 40o, 40a	**the fortieth** quarantesimo, quarantesima, etc.
100th 100o, 100a	**the hundredth** centesimo, centesima, etc.
1,000th 1.000o, 1.000a	**the thousandth** millesimo, millesima, etc.
100,000th 100.000o, 100.000a	**the hundred thousandth** centomillesimo, centomillesima, etc.
1,000,000th 1.000.000o, 1.000.000a	**the millionth** milionesimo, milionesima, etc.

Fractions and Percentages

½ ½	**a half, half of . . ., one over two** un mezzo, la meta' di, uno su due
⅓ ⅓	**a third, one over three** un terzo, uno su tre
¼ ¼	**a quarter, one over four** un quarto, uno su quattro

97

⅕	**a fifth**
⅕	un quinto, uno su cinque
10%	**ten per cent**
10%	dieci per cento
10.4%	**ten point four per cent**
10,4%	dieci virgola quattro per cento
10.43%	**ten point four three per cent**
10,43%	dieci virgola quarantatrè per cento

Ratios

Shares will be exchanged in the ratio one to three
Le azioni saranno scambiate in rapporto di uno a tre

Quoting Figures with Units

3,2 cm	tre centimetri virgola due
1,80 m	un' metro virgola ottanta
150 km	centocinquanta chilometri
1,5 kg	un chilo e mezzo
3,5 l	tre litri e mezzo
$2\frac{1}{2}$ yrs	**two and a half years**
	due anni e mezzo
1.500 Lit.	millecinquecento lire
L. 2.750	duemilasettecentocinquanta lire

£525.62   cinquecentoventicinque
                  sterline e sessantadue pence

Prices

The price is:
Il prezzo è:
- **£3 per unit**
- Lire sterline tre per un'unità

- **£2 per litre**
- Lire sterline due al litro

The price is £3,226
Il prezzo è di tremiladuecentoventisei sterline

The cost will be 446 Lit. each
Il costo sarà di lire italiane quattrocentoquarantasei cad

Dates and Times

14 January 1994
Il quattordici gennaio 1994

1 June / the first of June
Il primo di giugno

2 pm, 1400
Le due del pomeriggio, le quattordici

The flight is at 3.15 pm / the flight is at 1515
Il volo è alle tre e un quarto del pomeriggio / alle
quindici e quindici

The meeting will be held at 9 am
La riunione sarà tenuta alle nove del mattino

Quoting Other Numbers

> Many numbers are read out as large figures (thousands, hundreds or tens). If you are not sure how to read a large figure, quote the individual figures. (Instead of *quarantadue*, say *quattro, due*)

telephone, telex, fax numbers

> External telephone numbers are read one by one or in pairs or groups of three figures. The dialling code is *il prefisso*.

The dialling code for Milan please
Il prefisso di Milano per favore

The dialling code for Milan is 02
Il prefisso di Milano è zero due

Extension number is *numero interno*

Extension number 348
Numero interno: trecentoquarantotto / tre quattro otto

> Fax and telex numbers are read in the same way.

postal codes

> Italian postal codes (*il codice postale*) are based on the number of areas or districts of large cities, towns and villages, and it is essential to quote them or note them in all addresses; they are read out in pairs or groups.

number plates

> In Italy the number plate (*la targa*) quotes the letters that
> are in the abbreviation of the province name (i.e. MI (for
> Milano); TO (for Torino); BO (for Bologna); BZ (for
> Bolzano); BA (for Bari); NA (for Naples); FI (for Firenze);
> VE (for Venice) etc. Rome, the capital, is an exception; in
> this case the entire word is used: ROMA, and then the
> numbers, which are given by each authority of the
> province.

reference numbers, code numbers

> Reference numbers may be read out as groups of figures
> with individual letters or punctuation being dictated:

374 / 578 G:
trecentosettantaquattro sbarra cinquecentosettantotto
[*gi*]

4849 – YT:
quattro mila ottocento quarantanove trattino [*ipsilon ti*]

Your letter reference 3939 / TR
Il riferimento della vostra lettera è tre mila novecento
trentanove sbarra [*ti erre*] / tre nove tre nove sbarra [*ti
erre*]

Discussing Figures

approximation

The cost will be about £1,500
Il costo sarà di circa millecinquecento sterline

The final figure will be around 4.000 Lit.
La cifra finale si aggirerà sulle quattro mila lire

We have nearly 200 employees
Abbiamo circa duecento impiegati

The profit has almost gone through the 10 million mark
Il reddito tocca quasi i dieci milioni

This year our turnover will be in the order of £6 million
Quest'anno il nostro giro d'affari si aggirerà sui sei milioni di lire sterline

Our profit is between 15 and 15.5%
Il nostro reddito è tra il quindici e il quindici virgola cinque per cento

The industrial estate is about 8 km from the town
La zona industriale è a circa otto km dalla città

The figure is in the region of 100.000 Lit.
La cifra si aggira sulle centomila lire

The costs are just over / just under ...
I costi sono appena oltre / appena sotto ...

The increase is just over 10%
L'aumento è appena oltre il dieci per cento

The cost of transport has gone up by a little over 7%
Il costo del trasporto è aumentato di poco oltre il sette per cento

We telephoned more than 400 customers
Abbiamo telefonato a più di quattrocento clienti

**Less than 2% of customers have said they are
dissatisfied with the after sales service**
Meno del due per cento dei clienti ha detto di essere
insoddisfatto del servizio assistenza dopo la vendita

We have sent out hundreds / thousands of brochures
Abbiamo inviato centinaia / migliaia di opuscoli

**We contacted about a hundred / about a thousand
customers**
Abbiamo contattato quasi un centinaio / quasi un
migliaio di clienti

We received their reply about 10 days later
Abbiamo ricevuto la loro risposta circa dieci giorni dopo

frequency

Deliveries will be . . .:
Le consegne saranno:

- **weekly**
- settimanali

- **monthly**
- mensili

- **every 2 months**
- ogni due mesi

**We can make these modules at the rate of 500 per
month**
Possiamo produrre questi moduli a un ritmo di
cinquecento al mese

changes and trends

Sales have increased / decreased by 5%
Le vendite sono aumentate / sono diminuite del cinque
per cento

The price has been increased / decreased to . . .
Il prezzo è stato aumentato / diminuito fino a . . .

**Sales have increased / decreased regularly / rapidly /
slowly**
Le vendite sono aumentate / diminuite regolarmente /
rapidamente / lentamente

**Orders have doubled this year / since the beginning of
the quarter**
Gli ordini sono raddoppiati quest'anno / dall'inizio del
trimestre

We have reduced our expenses by 30 KL
Abbiamo ridotto le nostre spese di trenta KL

Our share has gone from 15 to 20%
La nostra quota è andata dal quindici al venti per cento

The sales have fallen to 2,700 units per quarter
Le vendite sono scese a duemila settecento unità a
trimestre

The government has increased interest rates
Il governo ha aumentato i tassi di interesse

comparing figures

**There were 12,700 visitors to the show, 5.5% more than
last year / fewer than last year**
C'erano dodicimila settecento visitatori alla mostra;
cinque virgola cinque per cento in più dell'anno scorso /
di meno dell'anno scorso

The turnover for the quarter is almost up to the level reached at the same time last year
Il giro d'affari per il trimestre è circa allo stesso livello raggiunto nello stesso periodo l'anno scorso

At 312,883 the sales results are slightly higher / slightly lower than last year's
Con una cifra di trecentododicimila ottocento ottantatre i risultati delle vendite sono leggermente più alti / più bassi di quelli dell'anno scorso

Market penetration has reached 20%, twice as much as last year
La penetrazione sul mercato ha raggiunto il venti per cento: il doppio dell'anno scorso

It's double the expected figure
È il doppio di quanto ci si aspettava

The profit is a million sterling less than last year
Il profitto è di un milione di sterline meno di quello dell'anno scorso

The profit margin has gone from 11 to 14%
Il margine profitti è salito dall'undici al quattordici per cento

The value of the market has gone up by a million sterling
Il valore del mercato è salito di un milione di sterline

Overheads have been reduced from ... to ...
Le spese sono state ridotte da ... a ...

Hotels and Conference
Centres, alberghi, hotel e centri di congressi e conferenze

see also Booking

Booking a Room

I'd like to book a room please
Vorrei prenotare una camera per favore

I would like a room for one / two persons with a shower / bath
Vorrei una camera singola / doppia con doccia / con bagno

It would be for 3 nights from 5 October
Sarebbe per tre notti dal cinque di ottobre

It's in the name of . . .
È a nome di . . .

I shall be arriving at 11 pm (2300)
Arriverò alle undici di sera (alle ventitrè)
See also **Booking**

Arriving

Do you have any rooms available?
Avete delle camere libere?

No, I don't have a booking
No! non ho una prenotazione

Can you recommend another hotel I could try near here?
Potrebbe raccomandarmi un altro albergo qui vicino?

I would like full board / half board
Vorrei la pensione completa / la mezza pensione

Which floor is the room on? Is there a lift?
A che piano è la camera? C'è un ascensore?

I'm a little early – is my room available yet?
Sono un pò in anticipo. Per favore la mia camera è per caso già pronta?

My name is . . . and I have a reservation
Il mio nome è . . . Ho una prenotazione

Hello, my name is . . . , from Hallowin plc. I believe you have a room booked for me?
Buongiorno. Sono il Signor . . . della Hallowin plc. Dovrebbe esserci una prenotazione di una camera a mio nome

My secretary booked a room for me by telex some time ago / yesterday
La mia segretaria, qualche tempo fa / ieri, ha prenotato per telex una camera per me

There must be some mistake, I have the confirmation here
Deve esserci un errore. Ho qui con me la conferma della prenotazione

The reservation might be in the name of my company
Forse la prenotazione è a nome della mia societá

My name is Charles Michael, perhaps the booking has been written down in the name of Charles?
Il mio nome è Charles Michael; forse la prenotazione è stata registrata a nome di Charles

I definitely booked a room with a single bed
Io ho definitivamente prenotato una camera singola

Inquiries

I reserved for one person but I have brought a colleague with me. Do you have another room available?
Ho prenotato solo per una persona, ma ho con me un collega: avete libera un'altra camera per favore?

My room is too noisy – do you have a quieter room?
La mia camera è troppo rumorosa; avete una camera più tranquilla per favore?

I want to stay an extra two days. Do you have a room available?
Vorrei restare due giorni in più. Avete una camera disponibile per favore?

I booked for 5 days but I now have to leave in 3 days
La prenotazione era per cinque giorni ma purtroppo adesso devo partire fra tre giorni

Where can I leave my car?
Dove posso lasciare la mia macchina?

Do you have a safe? I would like to deposit some documents
Avete una cassaforte? Vorrei depositare dei documenti

When does the bar close?
Quando chiude il bar?

Where can I get a meal?
Dove posso prendere i pasti? / Dove posso andare a mangiare?

Can you order a taxi for me please? I want to go to . . .
Può chiamarmi un tassì per favore? Vorrei andare a . . .

Can you book a taxi for 3 pm for me please? I must be at the airport by 6.30 pm
Può prenotarmi un tassì per le quindici per favore?
Devo essere all'aeroporto per le diciotto e trenta

Can I have two light lunches in my room please?
Posso avere un pranzo leggero per due persone nella mia camera per favore?

Can you put the drinks on my bill please?
Può mettere le bevande sul mio conto per favore?

Do you have a laundry service?
C'è un servizio di lavanderia?

What's the latest I can check out?
A che ora devo lasciare libera la camera?

My name is . . . I'm in room . . . I'm expecting a visitor, Mr Sellitri. Can you let me know when he arrives?
Il mio nome è . . . sono nella camera numero . . . Aspetto una visita, il Signor Sellitri: mi può avvertire quando questo signore arriva per favore?

Can you ask him to wait in reception?
Può chiedergli di attendere alla recezione?

Where can I find the bar / the nearest post office / the car park / the toilets?
Per favore dove posso trovare il bar / l'ufficio postale più vicino / il parcheggio / i servizi?

What time do you serve / lunch / dinner / breakfast?
A che ora servite il pranzo / la cena / la colazione?

How far is it to the Indo Suisse Bank?
Quanto dista da qui la banca indo-svizzera?

Can I walk to the . . . easily?
Posso andare a piedi a . . .?

Can you recommend a restaurant in town?
C'è un ristorante in città dove si mangia bene e che lei
raccomanderebbe?

**I'm leaving early tomorrow morning. Can you make up
my bill please?**
Domani devo partire piuttosto presto. Mi potrebbe
preparare il conto per favore?

**Could I have a call at 5 am please and an early
breakfast?**
Posso avere la sveglia alle cinque del mattino per favore
e la colazione piuttosto presto

Conference Activities

See also **Booking**

Can you arrange the tables in a U shape / in a square?
Potete sistemare i tavoli a forma di U / a forma di
quadrato?

We want the chairs in rows
Vorremmo le sedie sistemate a file

We are expecting 35 people
Aspettiamo trentacinque persone

**Could you give us some more paper for the flip chart
please?**
Potreste darci un pò più di carta per la lavagna a fogli
per favore?

Could you give us some more marker pens for the board please?
Potreste darci un pò più di pennarelli per la lavagna per favore?

Could we have coffee for 30 at 10.30 please?
Potreste servirci il caffè per trenta persone alle dieci e trenta per favore?

We asked for a VHS video player – this one is Betamax
Avevamo chiesto un televideo VHS; questo è un Betamax

What time is lunch arranged for?
A che ora è stato predisposto il pranzo?

What time is the room booked until?
Fino a che ora è stata prenotata la camera / sala per favore?

Do you have a typist? We would like some papers typed up urgently
Avete una dattilografa per favore? Avremmo bisogno urgentemente di far battere dei documenti a macchina

Could we have photocopies of these documents please? We need 12 copies of each page
Potremmo avere delle fotocopie di questi documenti per favore? Ne avremmo bisogno dodici per ciascuna pagina

Is it possible to have a telephone extension in the conference room?
Sarebbe possibile avere un prolungamento del telefono nella sala conferenze?

**Do you have a courtesy car? Three of the delegates
would like to get to the station**
Avreste una macchina dell'albergo a disposizione dei
clienti? Tre nostri delegati vorrebbero recarsi alla
stazione

Checking Out

**Can I have the bill please? I'm in room 125, the name is
Schmid**
Posso avere il conto per favore; sono nella camera
centoventicinque; il nome è Schmid

Can I pay by credit card? Which cards do you accept?
Posso pagare con una carta di credito? Che carte di
credito accettate?

Electrotech SA are settling the bill but I must sign
La fattura sarà pagata dalla Electrotech SA, però io devo
firmare

Did you order my taxi?
Ha ordinato il tassì per mè?

Is my taxi on the way? I asked for one at midday
Per favore quando arriva il tassì ordinato per mè? Ne
avevo chiesto uno per le dodici / per mezzogiorno

Problems with the Bill

What is this item?
Che cos'è questa voce per favore?

Why is there a charge for . . .?
Perchè c'è la somma di . . . a mio debito?

Is service included?
Il servizio è compreso?

There were 16 people at the conference (including the organisers). You have charged for 21 lunches and 26 coffees
C'erano sedici persone alla conferenza (incluso gli organizzatori) però voi avete messo in conto il pranzo per ventuno persone e il caffè per ventisei persone

We didn't have a video player
Non avevamo il televideo

The video player didn't work and I refuse to pay for it
Il televideo non funzionava; mi rifiuto di pagarne le spese

I think you've overcharged. Can you check the total?
Scusi, penso che ci sia un errore nel conto; può controllare il totale per favore?

I only had a single room
Scusi, ma io ero in una camera singola

I had a room without a shower
Avevo una camera senza doccia

I didn't have any drinks from the fridge in my room
Non ho preso bevande dal frigorifero della camera

This is not my bill, this is not my signature
Questo non è il mio conto; questa non è la mia firma

I thought parking was free
Pensavo che il parcheggio fosse gratuito

I didn't have a newspaper every morning
Non ho preso il giornale ogni mattina

Can I have a copy of the bill please?
Mi può dare una copia del conto per favore?

Complaints

I want to make a complaint
Vorrei fare un reclamo

My room is very noisy
La mia camera è molto rumorosa

My television does not work
La televisione in camera non funziona

My washbasin is blocked
Il lavandino / lavabo è bloccato

My shower only works on cold
La doccia funziona solo ad acqua fredda

I would like to change rooms – the lift wakes me up at night
Vorrei cambiare la camera: l'ascensore mi sveglia durante la notte

My room is dirty
La mia camera è sporca

I ordered breakfast an hour ago and it still hasn't come
Ho ordinato la colazione un'ora fa e non è ancora arrivata
See also **Complaints, Restaurants**

Introductions, presentazioni

see also Meetings

Introducing Oneself

Let me introduce myself: John Grayson, from Transmac Ltd *(formal)*
Mi permetta di presentarmi. Sono John Grayson della Transmac

May I introduce myself? I'm responsible for marketing for Transmac Ltd. My name is John Grayson
Posso presentarmi? Sono il responsabile del marketing alla Transmac Ltd, il mio nome è John Grayson

My name is Grayson
Il nome è Grayson

I'm John Grayson, from Transmac Ltd
Sono John Grayson, della Transmac Ltd

Hello, my name's Grayson. I work for Transmac *(more familiar)*
Buongiorno, il mio nome è Grayson, lavoro per la Transmac

Here's my card
Ecco il bigliettino

Let me give you my address and telephone number
Le do il mio indirizzo e numero di telefono

Making Someone's Acquaintance

I don't think we've met, have we?
Non penso che ci siamo mai incontrati, vero?

Excuse me, I didn't catch your name
Mi scusi, mi è sfuggito il suo nome

Weren't you at the Frankfurt Trade Fair?
Lei era per caso alla fiera commerciale di Frankfurt?

You're Mr Chambaz aren't you?
Lei è il Signor Chambaz, vero?

I think we've met before, haven't we? Isn't it Mr Hoffmann?
Penso che ci siamo già incontrati. Lei è il Signor Hoffmann, vero?

Introducing Someone to Someone Else / Being Introduced / Replies to Introductions

You must meet my colleague / our manager, Mike
La devo presentare al mio collega / il nostro direttore, Mike

This is my colleague, John
Questo è il mio collega John

Do you know Jane Grayson?
Lei conosce / voi conoscete Jane Grayson?

reply   • **I'm very pleased to meet you**
          • Piacere di fare la sua conoscenza / piacere / Piacere di conoscerla

Let me introduce my colleagues
Mi permetta di presentarle/di presentarvi i miei colleghi

These are the other members of the department / the other members of the team
Questi sono gli altri membri del reparto / gli altri membri del gruppo

reply • **Pleased to meet you all**
• Piacere di fare la vostra conoscenza / piacere

This is Mike. I don't believe you've met, have you?
Questo è Mike. Non penso che vi siate già incontrati, vero?

reply • **Pleased to meet you Mike**
• Piacere d'incontrarla Mike

reply • **I'm very pleased to meet you Mike**
• Molto piacere

reply • **Hi there** *(familiar)*
• Piacere Mike *(familiar)*

Ms Delay, this is Mr Grayson
Signora Delay, le presento il Signor Grayson

reply • **Pleased to meet you Ms . . ./Mr . . .**
• Piacere d'incontrarla Signora . . ./Signore

I don't think you know Jacqueline do you?
Non penso che lei abbia mai incontrato Jacqueline, vero?

reply • **No, I don't. I'm pleased to meet you . . .**
• No, non l'ho mai incontrata. Piacere

Have you met my colleague . . . / our marketing manager?
Conosce il mio collega . . . / il nostro direttore di marketing?

I believe you've already met John Proudy?
Penso che lei conosca / voi conosciate già John Proudy?

reply • **Yes I have, I'm pleased to meet you again, John** (*informal*) / **Mr Proudy** (*formal*)
• Sì, come sta Signor Proudy? (*formal*)
• Sì, come stai John? (*very familiar*)

I believe you already know each other?
Penso che voi vi conosciate già?

reply • **Pleased to meet you again Mr . . ./Ms . . .**
• Come sta Signor . . ./Signora . . . ?

May I have the pleasure of introducing our chairman to you? (*formal*)
Posso presentarle/presentarvi il nostro presidente?

reply • **I'm very pleased to meet you** (*formal*)
• Molto piacere di fare la sua conoscenza

I'd like you to meet our new manager
Vorrei presentarle/presentarvi il nostro nuovo direttore

reply • **I'm very pleased to meet you**
• Molto piacere di fare la sua conoscenza / Piacere

May I introduce our financial director, Sara Gray?
Posso presentare il nostro direttore amministrativo, la Signora/Signorina Sara Gray?

Let me introduce Mr Stimm
Le presento il Signor Stimm

Invitations, inviti

see also Accepting, Appointments, Meetings

Inviting Someone to a Meeting

I'm calling a meeting on 7 November and I wondered whether you would be able to come?
Avrò una riunione il sette novembre e mi chiedevo se per caso le fosse possibile parteciparvi

I'd be very grateful if you could come to a meeting on . . . to discuss . . .
Le/vi sarei molto grato se potesse/poteste partecipare alla riunione del . . . alle. . . per discutere . . .

I'm arranging a meeting to discuss . . . and I would like to ask you to come / and I'd be very grateful if you would come
Sto organizzando una riunione per discutere . . . e vorrei chiederle/chiedervi di parteciparvi / e le/vi sarei molto grato se potesse/poteste parteciparvi

I wondered if you would come to a meeting at our offices on 5 September?
Mi chiedevo se le fosse possibile di partecipare ad una riunione che si terrà luogo nei nostri uffici il cinque settembre?

Would you like us to meet to discuss this?
Vorrebbe/vorreste che ci si incontrasse per discutere di ciò?

Can I ask you to come and discuss this?
Posso chiederle/chiedervi di venire a trovarci per discutere di ciò?

I'd like to invite you to a meeting to discuss the project
Vorrei invitarla/invitarvi ad una riunione per discutere del progetto

Could we meet to discuss this?
Potremmo incontrarci per discutere di ciò?

Inviting Someone to Lunch / Dinner

Let's have a bite to eat
Andiamo a prendere qualcosa da mangiare

Can I offer you lunch / dinner?
Posso invitarla/invitarvi a pranzo / a cena?

How about lunch / dinner?
Andiamo a pranzo / a cena?

Would you like to have lunch / dinner on 14 May?
Verrebbe/verreste a pranzo / a cena il quattordici maggio?

Would you like to discuss this over lunch / dinner?
Vorrebbe discuterne a pranzo / a cena?

Would you like to come to dinner at my house on Thursday?
Vorrei invitarla a cena a casa mia per questo giovedì; è libero / siete liberi?

We'd be very happy if you'd have dinner with us. When would be a suitable date?
Ci farebbe molto piacere di avervi a cena con noi; che data sarebbe opportuna per voi?

We're having a small party / dinner party on . . . We'd be very pleased if you would join us
Daremo un pranzo il . . . Ci farebbe molto piacere se poteste venire

> N.B. *Cena/cenare* (dinner/to dine) / *cenetta* (familiar): it is always in the evening.

Inviting Someone to Visit your Company

Have you seen our new plant / offices?
Ha/avete visitato il nostro nuovo stabilimento / i nostri nuovi uffici?

Would you like to come and have a look at (our new stock control system)?
Vorrebbe venire a vedere (il nostro nuovo sistema di controllo stock?)

We'd like to invite you to visit our company
Vorremmo invitarla/invitarvi a visitare la nostra società

When would you like to come?
Quando le/vi sarebbe possibile venire?

I'd very much like to show you round. When would you like to come and visit us?
Mi farebbe piacere farvi fare un giro qui; quando le/vi è possibile venire a visitarci?

We'd be very pleased if you would visit our new office complex
Ci farebbe molto piacere una sua/vostra visita al nostro nuovo complesso di uffici

We're opening our new offices / our new plant on 23 March and we'd be very pleased if you could come for the opening and the cocktail party afterwards
L'apertura dei nostri nuovi uffici / del nostro nuovo stabilimento avverrà il ventitré marzo; ci farebbe molto piacere se lei/voi potesse/poteste venire per l'apertura e il cocktail dopo

Replying to Invitations

accepting

Yes, thank you very much
Sì, grazie mille

Yes, I think that would be a good idea. When would suit you?
Sì, penso che sia una buona idea; quando le/vi farebbe comodo?

Yes, I think I could manage that
Sì, penso che mi sarà possibile

That's very kind of you, thank you, I'd love to
È molto gentile da parte sua/da parte vostra. Mi piacerebbe proprio

Yes, I'd be very interested to
Sì, sarei molto interessato/interessata

When would suit you best?
Quando le farebbe comodo?

I'll look forward to it
A presto / arrivederci a presto / mi farà molto piacere vederla/vedervi / mi farà molto piacere rivederla/rivedervi

Oh, I wouldn't like to impose, but thanks all the same
Oh, grazie mille, ma non vorrei disturbarla/disturbarvi

Thank you very much but I'm afraid I'm booked up
La/vi ringrazio molto/moltissimo, ma mi dispiace:
purtroppo ho già un impegno

**No, I'm afraid that clashes with another meeting /
appointment**
Mi dispiace molto/moltissimo, ma in quella data ho
un'altra riunione / un altro appuntamento

I'm afraid I have to leave by midday
Mi dispiace ma devo partire a mezzogiorno

I'll have left by then, perhaps another time?
Mi dispiace ma a quell'ora sarò già partito/partita;
magari un'altra volta

**It's very kind of you but I have to be back in Britain by
tomorrow**
Lei è molto gentile / voi siete molto gentili ma devo
essere di ritorno in Gran Bretagna entro domani

I'm afraid my flight / train is at 11 am
Mi dispiace ma il mio volo / treno è alle undici di mattina

I really am very tired, I think I'll have to rest tonight
Sono veramente molto stanco/stanca. Penso proprio che
dovrò riposarmi stasera

It's very kind of you but I'm afraid I'll have to refuse
Lei è molto gentile/voi siete molto gentili, ma purtroppo
devo proprio rifiutare

I already have an appointment at that time
Purtroppo ho un altro appuntamento a quell'ora

Management Accounts, conti
di gestione

see also Accounts, Figures

Looking at the Figures

The monthly figures show . . .
Le cifre mensili illustrano . . .

Expenditure is 15% over target
Le spese sono del quindici per cento in più di quanto
stabilito

We expected to reach 1 million but achieved . . .
Ci si aspettava di raggiungere un milione ma siamo
arrivati a . . .

**A 5% increase in staff costs was projected but so far
this year the increase has only been . . .**
Era stato previsto un cinque per cento di aumento nelle
spese del personale ma quest'anno fino adesso l'aumento
è stato solo del . . .

**We were aiming to keep the overheads down to . . .,
but . . .**
Il nostro scopo era quello di mantenere le spese a un
livello basso di . . . ma . . .

I see that you budgeted 520.000.000 Lit. for . . .
Vedo che aveva/avevate preventivato cinquecentoventi
milioni di lire italiane per . . .

. . . but the actual cost has been . . .
. . . ma il costo attuale è stato di . . .

Why is . . . above / below target?
Come mai . . . è al di sopra / al di sotto della meta?

The change in the market was expected to affect sales and so far the results are 10% down
Ci si aspettava che i cambiamenti del mercato avessero un effetto sulle vendite e il risultato finora è del dieci per cento in meno

The sales forecast was for 200 units sold / 10 new contracts in the quarter and so far the division has achieved . . .
La previsione di vendita era di duecento unità / di dieci nuovi contratti nel trimestre e finora il reparto ha raggiunto . . .

Why is the revenue from . . . not as high as expected?
Come mai le entrate per . . . non sono alte come ci si aspettava?

Penetration of the new sector is better / worse than expected
La penetrazione del nuovo settore è migliore / peggiore di quanto ci si aspettava

Do you expect an improvement in the figures during the next quarter?
Si aspetta/vi aspettate un miglioramento durante il prossimo trimestre?

The figure for . . . is worse than expected. This is due to . . .
La cifra per . . . è peggio di quanto ci si aspettava; ciò è a causa di . . .

Commenting on Ratios

Fixed asset turnover is over 20%
Il giro dei beni immobili va oltre il venti per cento

Long term debt is increasing
I debiti a lungo termine sono in aumento

Turnover is much higher than last year but the profit margin has stayed constant / has declined
Il giro è molto più alto di quello dell'anno scorso, ma il margine di profitto è rimasto costante / è ribassato

Return on investment is only 7%
L'utile d'investimento è soltanto del sette per cento

The gross margin has declined because the cost of sales is increasing
Il margine lordo è ribassato poichè i costi sulle vendite sono aumentati

The net operating margin is 1.2%. A decline in prices would be dangerous
Il margine netto di gestione è dell'uno virgola due per cento; un abbassamento di prezzi sarebbe pericoloso

The figures should be adjusted to take account of . . .
Si dovrebbero rivedere le cifre per tenere conto di . . .

The acid test (the quick asset ratio) shows that the company would have trouble repaying debt
La prova vera mostra che la società avrebbe difficoltà nel saldare i debiti

Working capital was increased by selling a site in the north
Il capitale sociale è stato aumentato con la vendita di un posto nel nord

The cash flow projection indicates a problem in November and December
La stima del movimento contanti indica un problema a novembre e a dicembre

Stock turnover is 7.2. This is quite good for the sector
Il movimento approvigionamento è del sette virgola
due: ciò è abbastanza buono per questo settore

The return on sales is below target
L'utile sulle vendite è al di sotto della meta prefissa

Current asset turnover is . . .
Il movimento dell'attivo corrente è di . . .

**The current ratio is 1.1; it has declined by 0.2
compared with last year. There has been an increase in
the number of creditors**
Il tasso corrente è dell'uno virgola uno; si è abbassato di
zero virgola due paragonato all'anno scorso; c'è stato un
aumento nel numero dei creditori

The liquidity ratio is . . .
Il tasso di liquidità è di . . .

Operating costs are very high
I costi di gestione sono molto alti

It would be necessary to reduce overheads
Sarebbe necessario ridurre le spese generali

Margins are lower than expected
I margini sono più bassi di quanto ci si aspettava

The collection period is 55 days
Il periodo di riscossione è di cinquantacinque giorni

**The quick asset ratio is 0.7. Current assets appear
healthy but stock levels are very high and I expect
current liabilities to increase**
Il tasso d'attività è dello zero virgola sette; i profitti
attuali sembrano floridi ma i livelli di stock sono molto
alti e suppongo che le perdite attuali aumenteranno

Sales are on target but overheads are higher than expected
Le vendite sono secondo la meta prefissa ma le spese generali sono più alte di quanto ci si aspettava

Breakevens

When would the project reach breakeven?
Quando si pensa che il progetto arrivi a un pareggio di conti?

What does the breakeven analysis indicate?
Che cosa indica l'analisi del pareggio dei conti?

I must query the figures for . . .
Vorrei indagare sulle cifre inerenti a . . .

The breakeven analysis shows that:
L'analisi del pareggio dei conti indica che:

- **a high sales volume will be necessary for breakeven. Can the market sustain this volume?**
- sarà necessario un alto volume di vendite per arrivare a un pareggio di conti; il mercato può sopportare questo volume?

- **breakeven will take several years. Are we sure that all the factors will remain constant?**
- per arrivare a un pareggio di conti ci vorranno parecchi anni; siamo sicuri che tutti i fattori rimarranno costanti?

- **it will take a considerable increase in activity to reach breakeven. Can this be achieved with present staffing levels?**
- Ci vorrà un notevole aumento di attività per arrivare a un pareggio di conti; è possibile raggiungere tale situazione con i livelli attuali di personale?

Meeting Visitors, incontrare
dei visitatori

see also Introductions, Tours, Visits

Meeting Visitors

Hello, are you Mr Delay?
Buongiorno, lei è il Signor Delay?

Hello, I'm John Grayson from Transmac Ltd. Are you waiting for me?
Buongiorno, sono John Grayson della Transmac Ltd, lei è in attesa di vedermi?

Hello, Ms Proudy? I'm John Grayson, from Transmac Plc, I've come to meet you
Buongiorno, è la Signora Proudy? Sono John Grayson della Transmac Plc; sono venuto a prenderla

How are you?
Come sta?

Did you have a good journey?
Ha fatto buon viaggio?

Is this your luggage?
Questo è il suo bagaglio?

Can I carry something for you?
Posso aiutarla a trasportare qualcosa?

Do you have any luggage?
Ha dei bagagli?

Have you eaten?
Ha già mangiato qualcosa?

Would you like something to eat before we go to my offices?
Vorrebbe mangiare qualcosa prima di andare in ufficio?

Would you like something to drink before we start?
Vorrebbe bere qualcosa prima di incominciare?

The car is over there
La macchina è lì

Would you like to go to the hotel to leave your luggage?
Vorrebbe andare all'albergo per lasciare i bagagli?

Would you like to go to your hotel first? It's not far
Vorrebbe andare prima all'albergo? Non è lontano

This is your hotel. I'll pick you up in my car tomorrow at 10 am
Questo è il suo albergo. Vengo a prenderla con la mia macchina domani mattina alle dieci

. . . at 8 pm and we'll go for dinner
. . . stasera alle otto e andiamo a cena

Replies

Oh, pleased to meet you Mr Grayson
Oh, piacere Signor Grayson

How are you?
Come sta?

- **I'm very well thank you**
- Molto bene, grazie

- **I'm rather tired, it was a long trip**
- Sono piuttosto stanco/stanca. È stato un viaggio lungo

- **The flight / train was delayed, I'm rather tired**
- Il volo / treno era in ritardo; sono piuttosto stanco / stanca

- **I think I've got 'flu**
- Penso di avere un pò d'influenza

- **I've picked up some sort of bug**
- Non mi sento tanto bene

- **I feel ill, I think there was something wrong with the food on the plane / the train**
- Mi sento male. Penso che il cibo sull'aereo / sul treno non fosse buono

- **Is there a chemist's near?**
- C'è per caso una farmacia nei dintorni?

Is there a phone near here? I have to ring my secretary
C'è un telefono qui vicino? Devo telefonare alla mia segretaria

Can we go to the hotel straight away / first?
Per favore possiamo andare subito / prima all'albergo?

Can we have a snack? I haven't eaten since I left
Sarebbe possibile fare uno spuntino? Non ho toccato cibo da quando sono partito/partita

Can I have a quick drink? I'm very thirsty
Posso prendere qualcosa da bere velocemente? Ho molta sete

Meetings, appuntamenti, riunioni, incontrarsi

see also Appointments, Negotiations, Telephoning

Arranging a Meeting

Could we meet to discuss this?
Possiamo incontrarci per discutere di ciò

Could we meet at . . . (place) on . . . (place) at . . . (time) to discuss . . .?
Possiamo incontrarci a . . . (località) il . . . (data) alle . . . (ora) per discutere di . . .

Would you be able to come to a meeting?
Le sarebbe / vi sarebbe possibile venire ad una riunione?

I could meet you at . . . (place) on . . . (date) at . . . (time)
Potrei incontrarla/incontrarvi a . . . (località) il . . . (data) alle . . . (ora)

The meeting will be about . . . (our advertising campaign)
La riunione sarà in merito a . . . (la nostra campagna pubblicitaria)

We will be meeting to discuss . . .
Ci incontreremo per discutere . . .

What would be the most suitable date and time?
Che data e a che ora sarebbe più opportuno?

I'll ask . . . (our production manager) to be there as well
Pregherò il Signor . . . (il direttore alla produzione) di essere anche presente

I'd prefer to meet at . . . (place) on . . . (date)
Preferirei incontrarci a . . . (località) il . . . (data)

I will send you directions and a copy of:
Le invierò delle indicazioni e una copia:

- **the agenda / documents**
- dell'ordine del giorno / dei documenti

- **the minutes of the last meeting / of the report on the last meeting**
- dei verbali dell'ultima riunione / della relazione / del rapporto dell'ultima riunione

General Questions about the Meeting

Is the meeting on . . . (date) going ahead as planned?
La riunione del . . . (data) si terrà luogo come prestabilito?

Will this be a regular meeting?
Questa sarà una riunione normale?

Who else will be there?
Chi altro sarà presente?

You meet on the first Friday of each month, don't you?
Voi avete una riunione il primo venerdì di ogni mese, vero?

Could you send me a location map?
Potete inviarmi una piantina per favore?

Can you send me a copy of the agenda and any other documents relating to the meeting?
Potete inviarmi per favore una copia dell'ordine del giorno e qualsiasi altro documento in relazione alla riunione?

Arriving for a Meeting

Good morning, I've come for the . . . meeting / I have a meeting with . . .
Buongiorno. Sono qui per la riunione del . . . / per la riunione in relazione a . . . / Ho un appuntamento con . . .

Good morning, Ms Paollotta is expecting me
Buongiorno, la Signora Paollotta mi aspetta

Hello, can you tell me where the meeting of . . . / about . . . is being held please?
Buongiorno, può dirmi per favore dove si tiene la riunione del . . . / in relazione a . . .?
See also **Appointments, Directions, Introductions, Meetings**

Starting a Meeting

formal

Good morning / Good afternoon / Good evening ladies and gentlemen, thank you for coming
Buongiorno / Buonasera Signore e Signori. Vi ringrazio innanzitutto di essere venuti

I'm pleased to see you all here
Mi fa molto piacere vedervi tutti qui riuniti

If everyone is here I'd like to start the meeting now please
Se tutti sono presenti vorrei, se possibile, dare subito inizio alla riunione per favore

Can I introduce Mr Perez?
Posso presentarvi il Signor Perez?

I'm pleased to welcome Mr Perez to the meeting
Ho il piacere di dare il benvenuto a questa riunione al
Signor Perez

Has everyone got a copy of the agenda?
Avete tutti una copia dell'ordine del giorno?

Has everyone got a copy of the report?
Avete tutti una copia della relazione / del rapporto?

**This meeting was called to discuss . . . / to reach a
decision on . . .**
Si è fatta questa riunione per discutere . . . / per arrivare
a una decisione su . . .

informal

Can we start with the question of . . .?
Possiamo incominciare con la questione di . . .?

I would like to start by:
Vorrei incominciare con:

- **outlining the situation**
- il sottolineare la situazione

- **giving my analysis of the report**
- il darvi l'analisi della relazione / del rapporto

- **presenting the figures for . . .**
- il presentarvi le cifre / somme per . . .

- **asking Ms Glock to present her analysis of the
  situation**
- il chiedere alla Signora Glock di presentare la
  sua analisi della situazione

Let's take the first item on the agenda
Prendiamo la prima questione dell'ordine del giorno

Alex, would you like to say something?
Alex, ha/hai qualcosa da dire?

Yes . . ., have you a point you would like to make?
Sì . . ., ha/avete qualche punto da mettere in evidenza / risalto?

It seems to me that this is important. How does everyone feel about it?
Ho l'impressione che ciò sia importante; che cosa ne pensate?

My opinion is . . . What do you think?
Io penso che . . . Che cosa ne pensate?

Can we have everybody's opinion about . . .?
È possibile per favore avere un pò l'opinione di tutti?

Discussions / Debates

raising a point

I'd like to point out that . . .
Vorrei mettere in evidenza che . . .

Can I make a point here?
Posso mettere a questo punto qualcosa in evidenza / in risalto?

I'd like to say that . . .
Vorrei far presente che . . .

May I raise a question here?
Posso sollevare una questione a questo punto?

I'd like to ask . . . (Mr Dupont) . . .
Vorrei chiedere al . . . (Signor Dupont) . . .

I'd like to have some clarification on the point raised by Ms Solé
Vorrei avere delle chiarificazioni sul punto sollevato dalla Signora Solé

I haven't understood the point that Mr Potet made
Non ho capito il punto che il Signor Potet ha fatto

I'm sorry, I don't follow
Mi dispiace, ma non capisco / non seguo il suo filo

I'd like to make a point here
Vorrei mettere un punto in evidenza adesso

Can I say that . . .
Posso dire che . . .

In my opinion . . .
Secondo me . . .

Can I make a suggestion?
Posso offrire un suggerimento?

I must point out that . . .
Devo far presente che . . .

asking for further contributions

Has anyone anything to say on this?
C'è qualcuno che ha qualcosa da aggiungere a questo punto?

Do you wish to add something?
C'è qualcuno che desidererebbe aggiungere qualcosa a questo punto?

Does everyone agree?
Siamo tutti d'accordo?

Does anyone disagree?
C'è qualcuno che non è d'accordo?

Would anyone like to develop that point?
C'è qualcuno al quale piacerebbe sviluppare quel punto?

Can we come back to that point later?
Possiamo ritornare su questo punto dopo per favore?

objecting / disagreeing

That's true, but you must also agree that . . .
Sì, è vero, però lei deve/voi dovete convenire anche
che . . .

That's partly true
Ciò è in parte vero

I can't agree
Non posso essere d'accordo / devo dire che non mi è
possibile essere d'accordo

I can't go along with that
Non posso essere d'accordo con lei/voi su questo punto

I don't think that's a fair assessment
Non penso che questa sia una giusta valutazione

I don't think that takes account of . . .
Non penso che ciò tenga in considerazione . . .

I think that we must remember / keep in mind . . .
Penso che sia nostro dovere ricordarci di . . . / tenere a
mente . . .

Surely we should also consider . . .?
Ma senza dubbio dovremmo anche prendere in
considerazione . . .

No, I don't think that is possible
No, non penso che ciò sia possibile

With all due respect . . .
Con tutto il rispetto . . .

agreeing

Yes, exactly
Si, precisamente / esattamente

I accept your point
Accetto il suo / vostro punto

I'd like to second that proposal
Vorrei appoggiare quella proposta

I agree
Sono d'accordo

Yes, I think that we should . . .
Si, penso che dovremmo . . .

I'll support that
Do il mio appoggio a ciò

Yes, let's do that
Sì, facciamolo

I think that's a fair assessment
Penso che sia una giusta valutazione

That seems to be the best solution
Quella sembra che sia la migliore soluzione
See also **Agreeing**

summing up

To sum up then
Per riassumere allora

Right, I think we are all in agreement
Va bene, penso che tutti siamo d'accordo

To sum up the main points in our discussion . . .
Per riassumere i punti principali della nostra
discussione . . .

We seem to have reached agreement on the main points
Sembra che si sia raggiunto un accordo fra noi tutti sui
punti principali / sembra che tutti siano d'accordo sui
punti principali

So, we've discussed . . . and most of us feel that . . .
Dunque, abbiamo discusso di . . . e la gran parte pensa
che . . .

Are we all agreed?
Siamo tutti d'accordo?

closing the meeting

**I think that's everything. Does anyone want to discuss
any other points?**
Penso che abbiamo esaurito tutti i punti; c'è qualcuno
che vorrebbe aggiungere qualcos'altro?

Is there anything else you want to discuss now?
C'è nient'altro di cui vorreste discutere adesso?

Can I close the meeting?
Posso chiudere la riunione / dichiarare la riunione
chiusa?

Have we all finished?
Abbiamo esaurito tutto?

I think we've covered everything now,
Penso che a questo punto ci siamo occupati di tutto

... can we just check the points we've agreed on?
... possiamo controllare per favore i punti su cui ci
siamo messi d'accordo?

**Well, I think that's all, thank you very much for your
contributions**
Bene, penso che sia tutto. Vi ringrazio della vostra
collaborazione / tante grazie per la vostra collaborazione

We can consider the meeting closed
Adesso possiamo considerare conclusa la riunione

I declare the meeting closed *(formal)*
Dichiaro la riunione conclusa

I think that was a useful discussion
Penso che si siano avute delle discussioni utili

Thank you all for coming
Vi ringrazio tutti per la vostra partecipazione

**Thank you for coming to the meeting Mr Sadi, I think
your presence has been most helpful**
Grazie di essere venuto alla riunione Signor Sadi; penso
che la sua presenza sia stata molto utile

leaving the meeting – actions

**Well, I think that's everything – thank you very much
for your time**
Bene, penso che siamo arrivati alla conclusione; grazie
mille per tutta l'attenzione dedicata

141

I'll look at the questions you raised and let you know the answers as soon as I can
Esaminerò le questioni che sono state sollevate e vi farò avere le risposte al più presto possibile

So, we've agreed to . . .
Dunque, siamo arrivati ad un accordo su . . .

I'll send you a copy of . . .
Vi invierò una copia di . . .

I'll look forward to hearing from you soon about . . .
Resto in attesa di una sua risposta in merito a . . .

I'll be in touch with you shortly
Mi metterò in contatto con lei/voi fra breve

Well goodbye, I'll write to you about . . .
Bene, arrivederci; le/vi scriverò circa . . .

Negotiations, trattative

see also Meetings

General Problem Solving

opening statements

What's the problem?
Cosa c'è

What's your view of the situation?
Che cosa pensa della situazione?

I think that . . .
Penso che . . .

I don't agree with you
Non sono d'accordo con lei/voi

I object to (offering customer discounts) because . . .
Mi oppongo all'idea di . . . (offrire uno sconto ai clienti)
perchè . . .

I don't want to . . . because . . .
Sono contro l'idea di . . . perchè

My reason for disagreeing is that . . .
Le ragioni del mio dissenso sono da attribuire al fatto
che . . .

My point of view is based on . . .
Il mio punto di vista è basato su . . .

Personally, I think that . . .
Personalmente penso che . . .

If we agreed to . . ., would that help?
Se ci accordiamo di . . ., le/vi sarebbe d'aiuto?

I appreciate your problem / position
Mi rendo conto del suo/vostro problema / della sua/
vostra situazione

I'm sorry, I can't agree with your decision
Mi dispiace, ma non mi è possibile essere d'accordo con
la sua/vostra decisione

I can see your point of view
Capisco il suo/vostro punto di vista

I understand how you feel
Capisco che cosa prova/provate

I can't accept that. Personally I feel . . .
Non posso accettarlo; personalmente penso che . . .

I see the problem differently
Vedo il problema in un modo differente

Our position is that we think the contract should . . .
La nostra posizione è la seguente: noi pensiamo che il
contratto dovrebbe . . .

I have to take into account . . .
Devo prendere in considerazione . . .

probing

What do you mean by '. . .'?
Che cosa vuol dire '. . .'?

What do you mean when you say . . .?
Che cosa vuol dire quando lei dice/voi dite . . .?

How would you feel if I offered . . .?
Che ne pensa se io le/vi offrissi . . .?

Don't you think that it would be possible to . . .?
Non pensa/pensate che sarebbe possibile . . .?

Can you suggest a compromise?
Può/potete suggerire un compromesso?

I don't quite understand
Non capisco

Can you clarify your position?
Può chiarire la sua posizione?

Why do you want . . .?
Perchè vuole/volete . . .?

Does this mean . . .?
Questo significa . . .?

Do you have any evidence?
Ha/avete delle prove / dei testimoni?

How did you get the information?
In che modo ha/avete ottenuto le informazioni?

Are you sure?
È sicuro/sicura . . . siete sicuri/sicure?

I can't see how your position ties up with . . .
Non capisco come mai la sua/vostra posizione sia
collegata con . . .

**Before we discuss this point I'd like to be sure about
your position on . . .**
Prima di discutere questo punto vorrei capire bene la
sua/vostra posizione in merito a . . . / vorrei essere sicuro
circa la sua/vostra posizione in merito a . . .

Can I just check a point you made earlier?
Posso controllare solamente un punto che lei ha/voi
avete messo in evidenza precedentemente?

So what you mean is . . .
Dunque lei vuol dire che . . .

Are you sure that that is the only way?
È sicuro/siete sicuri che questa sia la sola maniera?

I am sure that you could . . . instead
Son sicuro che lei potrebbe/voi potreste invece . . .

An alternative would be to . . .
Un'alternativa sarebbe quella di . . .

Wouldn't it be possible for you to . . .?
Le/vi sarebbe possibile . . .?

**I take it that you have no objection to my . . . (checking
your information)?**
Quindi lei non ha/voi non avete nessuna obiezione a che
io . . . (verifichi le sue/vostre informazioni)?

Can I just summarise our positions as I see them?
Posso dunque riassumere le nostre posizioni come le
vedo io?

towards agreement

We could agree to . . . if you were willing to . . .
Ci potremmo mettere d'accordo su . . . se lei fosse
disposto/se voi foste disposti a . . .

Is there any way of changing / modifying . . .?
Esiste per caso un modo in cui si potrebbe cambiare /
modificare . . .?

Would it help if we offered to . . .?
Andrebbe bene se ci offrissimo di . . .?

**If I agreed to . . . (modify the conditions), would you
find that more acceptable?**
Le/vi sarebbe gradito se acconsentissi a . . . (modificare le
condizioni)?

On my side I could . . . if you could (find a way to . . .)
Da parte mia potrei . . . se lei potesse/voi poteste . . .
(trovare un modo per . . .)

Well then, let me suggest that . . .
Bene, allora, suggerisco che . . .

Can I suggest . . .?
Posso suggerire . . .

I could offer to . . .
Potrei offrire di . . .

Are you prepared to accept . . .?
È preparato/siete preparati ad accettare . . .?

Do you see my point?
È/siete d'accordo sul mio punto?

Can I take it that you agree?
Dunque, se non sbaglio lei è/voi siete d'accordo?

You can see my position, can't you?
Lei capisce/voi capite la mia posizione, non è vero?

Can you understand my point of view?
Può/potete capire il mio punto di vista?

Do you accept that?
Lo accetta/accettate? / È/siete d'accordo?

You're right
Lei ha/voi avete ragione

You have a point
Sì, capisco

I think I can accept that
Penso di poterlo accettare / di poter accettare ciò

Let's discuss your point about . . .
Cerchiamo di discutere il suo/vostro punto in merito
a . . .

I think we've made some progress
Penso che abbiamo fatto qualche progresso

Do you think that's acceptable?
Pensa/pensate che ciò sia di suo/vostro gradimento?

a solution

Good, I think we have an agreement
Bene, penso che siamo riusciti a raggiungere un accordo

Fine, I think we're all agreed now
Bene, penso che si sia tutti d'accordo adesso

Let's shake hands on it!
Stringiamoci la mano in segno di accordo

I think we've reached a compromise
Penso che abbiamo raggiunto un compromesso

That's acceptable
Va bene

I think that's fair to both sides
Penso che sia giusto per entrambi

Are you happy with that?
È contento/siete contenti così?

So, can I just confirm that we've agreed to . . .
Dunque, posso confermare che ci siamo accordati di . . .

Well, thank you very much, I'm glad we've reached an agreement
Bene, grazie mille; sono contento che finalmente ci siamo messi d'accordo

Thank you very much for being open with me
Grazie mille per la sua/vostra franchezza

I'm glad we've settled that
Sono contento che la cosa sia stata sistemata

A Brief Business Negotiation – Trying to Obtain a Contract

opening statements

I'd just like to discuss the terms of our bid
Vorrei semplicemente discutere dei termini della nostra offerta di appalto

If I understand the position correctly . . .
Se ho capito bene la situazione . . .

This is the position at the moment . . .
Questa è la situazione attualmente . . .

probing

Your present supplier is . . ., isn't it?
Il vostro attuale fornitore è . . ., non è vero?

As I understand it, you . . .
Se ho capito bene, lei/voi . . .

Are you happy with your present supplier / the product you use at the moment?
Siete soddisfatti del vostro fornitore attuale / del prodotto che usate attualmente?

How does our offer / quote / bid compare with the others you've received?
Come trovate la nostra offerta / quotazione / offerta d'appalto paragonata a quella da voi ricevuta dagli altri fornitori?

Which points are you unhappy about?
Su quali punti non siete soddisfatti?

I understand you were not happy with . . .
Se ho ben capito voi non eravate soddisfatti del . . .

If I could arrange:
Se potessi accordarvi:

- **a price reduction**
- una riduzione di prezzo

- **an earlier delivery date**
- una data di spedizione anticipata

- **staged payments**
- dei pagamenti dilazionati

- **payment at 120 days instead of 60**
- un pagamento a centoventi giorni invece di sessanta

- **delivery (and installation) free of charge**
- la consegna (e l'installazione) a nostre spese

. . . would you be able to place an order?
. . . sarebbe/sareste in grado di passarci l'ordine?

Let's discuss where the offer could be modified
Cerchiamo di discutere in che modo l'offerta potrebbe
essere modificata

**I'm sure you'll agree that the price is / the terms are
reasonable / attractive**
Son convinto/convinta che lei è d'accordo sul fatto che il
prezzo è moderato/allettante / i termini sono moderati/
allettanti

Can I ask why the delivery date is so important?
Posso chiederle/chiedervi come mai la data di consegna è
così importante?

**Are you sure you need this model rather than the one
we could deliver at once?**
Siete sicuri di avere bisogno di questo modello invece di
quello che potremmo consegnarvi immediatamente?

**Would it help if we went over the financing we
proposed again?**
Vi andrebbe bene se esaminassimo ancora i termini di
finanziamento già proposti?

Perhaps we could reexamine the terms of payment
Forse potremmo riesaminare i termini di pagamento

You place me in a difficult position
Lei mi mette/voi mi mettete in una situazione difficile

**My hands are tied and I'm afraid I can't change the
offer any further**
Le mie mani sono legate; mi dispiace ma non sono in
grado di apportare ulteriori cambiamenti all'offerta

**I wish I could offer a better discount but demand is
very high at present**
Mi piacerebbe poterle/potervi offrire uno sconto
migliore, ma la domanda è molto alta attualmente

I also have to take into account . . .
Devo anche tenere in considerazione . . .

I'm quite willing to look at this from another angle
Sono abbastanza disposto a considerare la cosa da un
altro angolo

**Do you really need the whole order delivered at once /
at the same time?**
Avete veramente bisogno della consegna immediata di
tutto l'ordine / della consegna di tutto l'ordine nello
stesso periodo?

Perhaps we could spread the deliveries
Forse potremmo differire le consegne

I could offer . . . if that would help you reach a decision
Potrei offrire . . . se ciò potesse aiutarla/aiutarvi a
prendere una decisione

How would you feel if I proposed . . .?
Che cosa ne penserebbe/pensereste se le/vi
proponessi . . .?

solution

Yes, that's more attractive
Si, così è molto più allettante

That's helpful
Ciò andrebbe bene

So, taking into account your situation we are prepared to . . .
Dunque, volendo considerare la sua/vostra situazione, saremmo preparati a . . .

We're agreed then
Siamo d'accordo allora

Can I just check the points we've agreed on?
Posso esaminare semplicemente i punti su cui abbiamo trovato un accordo?

I'll have the contract amended and will return it to you for signature
Farò correggere il contratto e dopo glielo/velo rinvio per la firma

Would you like to sign here and I'll be able to start making arrangements straight away?
Le dispiacerebbe firmare qui, in questo modo posso già dare immediatamente le disposizioni in merito

It's been a pleasure doing business with you. I look forward to receiving confirmation of the order
È stato un piacere fare affari con lei/voi. Resto in attesa di ricevere la vostra conferma dell'ordine

I'll let you have a summary of the points we agreed as soon as possible
Le/vi farò avere al più presto possibile una ricapitolazione dei punti su cui ci siamo messi d'accordo

Thank you for being so helpful, goodbye
Grazie mille per tutta la sua/vostra assistenza; arrivederci

Organisation Structure,
organigramma
see also Describing

Describing the Structure

It's a very flat organisation
È un'organizzazione piana

The company is very hierarchical
La società è molto gerarchica

The board meets on the first Monday of each month
Il consiglio si riunisce il primo lunedi di ogni mese

There are 5 branches and 9 departments
Ci sono cinque filiali e nove reparti

The managers of the main divisions are on the board
I Direttori delle sezioni principali fanno parte del consiglio

Job Relationships

John works for ...
John lavora per ...

She reports to ...
La Signora/la signorina/lei deve rendere conto a ...

He is Peter Smith's assistant
È l'assistente di Peter Smith

He is responsible for ...
È il responsabile per ...

Lillian Peters manages the PR department
Lillian Peters dirige il reparto PR (di relazioni pubbliche)

154

She is part of John's team
Lei fa parte del reparto di John

John is in my sales support team
John è nel mio reparto assistenza vendite

This is Mary's PA
È l'assistente personale di Mary

He is a budget holder
È uno dei responsabili ai bilanci

The department is a separate cost centre
Il reparto ha un bilancio separato

He's in the finance department
È nel reparto amministrativo

They work under the supervision of the production manager
Lavorano sotto la sovrintendenza del direttore di produzione

I'm in the advertising department
Sono nel reparto pubblicitario

I run the marketing department and I report to the director of commercial operations
Dirigo il reparto marketing e devo rendere conto al direttore delle operazioni commerciali

Her job is to monitor progress on the major orders
Il suo lavoro è di controllare il progresso sugli ordini più importanti

He looks after exhibitions and marketing events
Si occupa delle esposizioni e dei risultati di marketing

ORGANISATION STRUCTURE

AN ORGANISATION CHART, un diagramma di organizzazione aziendale

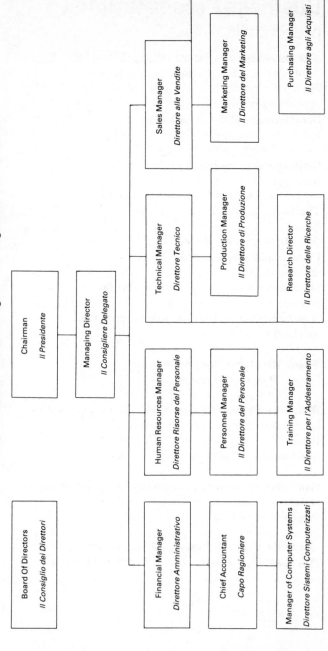

Board Of Directors
Il Consiglio dei Direttori

Chairman
Il Presidente

Managing Director
Il Consigliere Delegato

Financial Manager
Direttore Amministrativo

Chief Accountant
Capo Ragioniere

Manager of Computer Systems
Direttore Sistemi Computerizzati

Human Resources Manager
Direttore Risorse del Personale

Personnel Manager
Il Direttore del Personale

Training Manager
Il Direttore per l'Addestramento

Technical Manager
Direttore Tecnico

Production Manager
Il Direttore di Produzione

Research Director
Il Direttore delle Ricerche

Sales Manager
Direttore alle Vendite

Marketing Manager
Il Direttore del Marketing

Purchasing Manager
Il Direttore agli Acquisti

Business Presentations,
presentazioni

see also Accounts, Describing, Meetings

Starting the Presentation

Good morning ladies and gentlemen
Buongiorno Signore e Signori

Good morning everybody
Buongiorno a tutti i presenti

Thank you for coming
Grazie di essere venuti

I'm very pleased to be able to welcome Max . . .
Sono molto lieto di essere in grado di dare il benvenuto a
Max . . .

. . . who is going to speak to us about . . .
. . . che ci parlerà circa . . .

Thank you for inviting me here
Grazie di avermi invitato qui

**Before I start can I just check that everyone has a copy
of . . .**
Prima di incominciare vorrei solamente controllare se
tutti hanno una copia di . . .

**Can I give everyone a copy of this document before we
start?**
Posso distribuire a tutti voi una copia di questo
documento prima di incominciare?

Has everyone a copy?
Ciascuno ha una copia?

Can we start?
Possiamo incominciare?

Introducing Yourself / Credentials

Before we start, let me introduce myself
Prima di incominciare mi presento

My name is . . . and I am . . . / I've come from . . .
Il mio nome è . . ., sono . . . / sono di . . .

I work for . . . / I work in . . .
Lavoro per . . . / Lavoro a . . .

As you may know I've been working on . . . (project)
Come forse già sapete ho lavorato su . . . (progetto)

I'm director of development
Sono il direttore sviluppi . . .

I am responsible for . . . at . . .
Sono responsabile per . . . a . . .

I spent some time with . . . and now I'm . . .
Sono stato per qualche tempo alla . . . e adesso sono . . .

I represent . . .
Io rappresento . . .

The Aim of the Presentation

I have been invited here to talk about . . .
Sono stato invitato qui per parlare su . . .

I have come here to . . .
Sono venuto qui per . . .

What I want to do today is to present / show / discuss / comment on ...
Quello che vorrei fare oggi sarebbe di ... presentare / mostrare / discutere / commentare su ...

I want to cover a few points in the report
Vorrei includere alcuni punti che sono nella relazione / nel rapporto

I would like to outline the main features of / the advantages of the services which we can offer
Vorrei sottolineare le caratteristiche principali / i vantaggi dei servizi che noi possiamo offrire

I would like to explain ...
Vorrei spiegare ...

The Plan

My presentation will cover the following points
La mia presentazione includerà i seguenti punti

The first point I would like to cover is ...
Il primo punto di cui vorrei trattare è ...

Secondly (in the second place) I want to consider ...
In secondo luogo vorrei considerare ...

Then I will deal with ...
Poi mi occuperò di ...

After that / Next I will look at the problem of ...
Dopo di ciò / Dopo ... prenderò in considerazione il problema di ...

Finally, I want to summarise / I want to draw some conclusions from my talk
Infine vorrei riassumere / vorrei trarre delle conclusioni da quanto ho esposto

Finally I want to show the way in which this system could apply to your company
Infine vorrei mostrarvi . . . il modo in cui questo impianto/sistema potrebbe essere applicato nella vostra società

If you have any questions during the presentation please stop me
Se durante la presentazione aveste delle domande da fare interrompetemi pure

Can I ask you to save your questions until I have finished?
Posso chiedervi di essere così gentili da fare eventuali domande solo alla fine della presentazione?

The Presentation

the start

To begin with
Per incominciare . . .

Let us start by (looking at . . .)
Incominciamo con (l'occuparci di . . .)

Let me remind you of the situation
Permettetemi di rammentarvi la situazione

I would like to begin by making a few remarks on . . .
Vorrei incominciare facendo alcune osservazioni su . . .

a report, a plan

I have here the (figures for) . . .
Ho qui le cifre / le somme per . . .

On the OHP I have displayed . . .
Sulla lavagna luminosa ho esposto . . .

This slide shows . . .
Questa diapositiva mostra . . .

On the board I have written . . .
Sulla lavagna ho scritto . . .

I'd just like to ask you to look at this video
Vorrei semplicemente chiedervi di osservare questo
video

Let us look at page (6) of the report
Prendiamo pagina (sei) della relazione / del rapporto

The figures for . . . show (that) . . .
Le cifre / le somme per . . . mostrano (che) . . .
See also **Figures**

The results show . . .
I risultati mostrano . . .

**I think that a number of factors contribute (have
contributed) to . . .**
Penso che un numero di fattori contribuisca (abbia
contribuito) a . . .

Let us remember the facts . . .
Ricordiamoci i fatti . . .

a product

I would like to talk about . . .
Vorrei parlare di . . .

We developed the machine in response to a growing demand for ...
Noi abbiamo sviluppato la macchina in risposta a una crescente domanda per ...

... after research into ...
... dopo aver fatto ricerche in materia di ...

We at Parker Plc believe that this is the best product available
Alla Parker Plc noi crediamo che questo è (sia) il miglior prodotto disponibile sul mercato

Let me illustrate what I have said by quoting some of:
Lasciatemi illustrare quanto detto con il citarvi alcune:

- **the specifications**
- delle specifiche

- **the performance characteristics**
- caratteristiche di funzionamento

One of the main advantages of the system is ...
Uno dei vantaggi principali del sistema è quello di ...
See also **Describing**

a service

The service offers ...
Il servizio offre ...

One of the main features of our service is ...
Una delle caratteristiche principali del nostro servizio è quella di ...

What could our service offer your company? Well ...
Che cosa potrebbe offrire il nostro servizio alla vostra società? Bene ...

Our service is based on:
Il nostro servizio è basato su:

- **careful research into customers' needs**
- ricerche accurate nei bisogni dei clienti

- **good after sales support**
- un valido servizio assistenza dopo vendita

- **constant liaison with the customer**
- un contatto costante con i clienti

finishing part of the presentation

There are a number of interesting points to make here
Ci sarebbe da fare qui un numero di punti abbastanza interessanti

I shall come back to this point later
Ritornerò più tardi su questo punto

I shall deal with this point in greater detail later
Mi occuperò più dettagliatamente di questo punto un pò più tardi

Are there any questions on what I have said so far?
Avete delle domande da farmi su quanto espostovi fino adesso?

summary and conclusion

So to conclude I would like to say . . .
Allora per concludere vorrei aggiungere . . .

I think that my analysis shows that . . .
Penso che la mia analisi illustra che . . .

I hope that this presentation has shown you . . .
Spero che questa presentazione vi abbia mostrato . . .

To sum up I feel that ...
Per concludere penso che ...

I hope that I have shown:
Spero di avervi mostrato:

- **the advantages we can offer**
- i vantaggi che possiamo offrire

- **the ways in which we could help you**
- i modi in cui noi potremmo aiutarvi

- **the ways in which we could work together**
- i modi in cui potremmo lavorare assieme

Thank you very much for your attention
Grazie mille per la vostra attenzione

Thank you very much for your time
Grazie mille per il tempo dedicatomi

Once again, thank you for inviting me to speak to you
Ancora una volta, vi ringrazio per avermi invitato per
questa occasione

Restaurants, ristoranti

see also Booking, Hotels

Arriving

Have you got a table free?
Avete un tavolo libero per favore?

Have you got a table for two please?
Avete un tavolo per due per favore?

There are 5 of us
Siamo in cinque

We'd like a table in a quieter part of the restaurant please
Vorremmo un tavolo in un angolo un pò quieto

Have you got a table near the window?
Avreste un tavolo vicino alla finestra?

Can we sit over there?
Possiamo sederci lì?

Are you still serving?
Siete ancora aperti?

What time do you close?
A che ora chiudete per favore?

My name is Grant. I phoned to reserve a table
Il mio nome è Grant; ho telefonato per prenotare un tavolo

I'm dining with Mr Schuss. Could you tell me if he's arrived yet?
Dovrei cenare con il Signor Schuss; può dirmi se è già arrivato per favore?

**I'm meeting Mr Schuss here. Can you tell me which
table he's at?**
Dovrei incontrarmi qui con il Signor Schuss; mi può dire
qual'è il suo tavolo per favore?

I'm expecting a guest, a Ms Crisante
Aspetto un ospite, la Signora Crisante

Dealing with the Waiter

Waiter!
Cameriere!

Can we order drinks please?
Possiamo ordinare da bere per favore?

I won't order yet
Non sono ancora pronto/non siamo ancora pronti per
ordinare

I'm waiting for somebody
Aspetto qualcuno

Can we have the menu please?
Per favore può darci il menu?

Can we have a drink to start with?
Possiamo prendere per favore qualcosa da bere prima?

Can you tell me what this dish is please?
Mi scusi che cos'è questo piatto?

We'll choose the dessert later
Sceglieremo il dolce più tardi

Have you got a wine list?
Ha una lista di vini per favore?

Can you put everything on my bill please?
Può mettere il tutto sul mio conto per favore?

I'm staying at the hotel; this is my room number
Sto in quest'albergo, questo è il numero della mia camera

I'll be paying by travellers' cheques / eurocheques / credit card
Posso pagare con travellers cheques / eurocheques / una carta di credita

I'll have . . . and my guest will have . . .
Io prendo . . ., il Signore/la Signora/la Signorina prende . . .

We have to leave by 2 pm – what can you serve quickly?
Dobbiamo partire entro le due del pomeriggio; che cosa potrebbe servirci in fretta per favore?

Can we have coffee now please?
Ci può servire il caffè adesso per favore?

Do you have any notepaper?
Avete della carta da lettere per favore?

Do you sell stamps?
Avete dei francobolli per favore?

In Italy stamps are sold at shops called *'tabaccai'*; they are licensed by the State and have outside their shop a big 'T' sign.

Is there a telephone I can use?
Potrei usare il telefono per favore?

Where are the toilets?
Dove sono i servizi per favore?

We would like to continue our discussions after the meal; is there anywhere we can sit?
Noi vorremmo continuare a discutere dopo il pranzo; c'è un posticino dove potremmo sederci?

Meeting Your Guest

See also **Introductions, Meetings**

Hello, nice to see you, will you sit down?
Buongiorno/buonasera, mi fa piacere vederla/vedervi / come va? Vuole accomodarsi/volete accomodarvi?

I'm glad you could come
Sono contento/contenta che lei sia potuto venire/che voi siate potuti venire

Did you find the restaurant easily?
È stato facile trovare il ristorante?

Did you manage to park easily?
È riuscito a parcheggiare facilmente?

Hello, I'm John Grayson
Buongiorno/buonasera, sono John Grayson

What will you have?
Che cosa prende/prendete?

Would you like a drink to start?
Vuole/volete qualcosa da bere prima?

Would you like to order? Here's the menu
Vuole/volete ordinare? Ecco il menu

I'm having . . . What do you fancy?
Io prendo . . . Che cosa le piacerebbe?

I can recommend the . . .
Io raccomanderei . . .

This restaurant has a reputation for . . .
Questo ristorante ha una reputazione per . . .

Do you want wine?
Vuole del vino?

Would you like a dessert? I'm having one
Vuole il dolce? Io lo prendo

Would you like (another) coffee (and liqueurs) to follow?
Vorrebbe un (un altro) caffè (e un liquorino) dopo?

Now shall we have a look at the proposal . . .?
Guardiamo la proposta?

Being the Guest

Hello nice to see you again
Buongiorno/buonasera, piacere di rivederla/rivedervi / come va?

Pleased to meet you, Mr Salangre
Piacere, Signor Salangre

Mr Salangre? John Grayson, pleased to meet you
Il Signor Salangre? Piacere, John Grayson

It's a very nice restaurant. Have you been here before?
È un bel ristorante; lo conosce già / è già stato qui?

Can you recommend anything on the menu?
C'è qualcolsa in particolare sul menu che lei raccomanderebbe?

Yes, I'd love a drink please
Sì, vorrei qualcosa da bere, grazie

No, no wine for me thank you. Can I have a mineral water with ice?
No, niente vino per me grazie; posso avere dell'acqua minerale fredda / ghiacciata per favore?

Can I have a dessert?
Posso prendere il dolce?

Could I have a black / white coffee please?
Posso avere un caffè nero / un caffè con latte per favore?

Complaining

This is not what I ordered
Questo non è quello che io ho ordinato

I can't eat this, it's cold
Non posso mangiare questa roba; è fredda!

Waiter, we ordered 40 minutes ago. How long will our meal be?
Cameriere, abbiamo ordinato quaranta minuti fa; quanto tempo ci vuole ancora per favore?

I have to catch a plane at 2.30 pm – will our order be long?
Devo prendere l'aereo alle due e mezza del pomeriggio; ci vorrà ancora molto tempo per essere servito/serviti?

My guest has to be at a meeting in 30 minutes
Il mio ospite deve essere presente ad una riunione fra trenta minuti

There is no ice in my guest's drink
Scusi non c'è ghiaccio nel bicchiere del Signore/della Signora

We are in a draught here. Can we move tables?
Scusi c'è molta corrente qui; potrebbe sistemarci ad un altro tavolo?

There is a mistake in the bill. We only had 2 drinks
Scusi c'è un errore nel conto; a questo tavolo abbiamo preso solo due bevande

We only had 1 bottle of wine
Noi abbiamo preso solo una bottiglia di vino

We didn't have a dessert / liqueurs
Non abbiamo preso il dolce / i liquori

Paying

Can I have the bill please?
Mi può portare / posso avere il conto per favore?

No, let me settle it
No, faccia fare a me

No, be my guest
No lei è mio ospite!

Can you make out the bill to my company please?
Può emettere / addebitare il conto alla mia società per favore?

Can I have a receipt please?
Mi può dare una ricevuta per favore?

Does that include service?
Il servizio è incluso?

Which credit cards do you take?
Che carte di credito prendete?

Do you accept Euroexpress cards?
Accettate le carte Euroexpress?

Saying Goodbye

to your guest

Well, as I've said, if there's anything else I can do, just give me a ring
Bene, come le/vi ho detto prima, se c'è qualcosa in cui posso essere utile mi dia/datemi un colpo di telefono

If you need any more information don't hesitate to contact me
Se avete bisogno di altre informazioni non esitate a mettervi in contatto con me

I'll give you a ring as soon as I get back to my office
Le/vi telefono non appena ritorno in ufficio

Did I give you my card?
Le ho dato il mio bigliettino / biglietto da visita?

Goodbye, have a safe trip back
Arrivederci, faccia/fate buon viaggio

It was nice meeting you
È stato un piacere incontrarla / incontrarvi

I look forward to meeting you again
Resto al piacere di rivederla/rivedervi ancora

Well, I enjoyed our discussion
Bene, mi ha fatto piacere discutere con lei/con voi

I hope you enjoyed your meal
Spero che il pranzo sia stato di suo/vostro gradimento

I hope we'll meet again soon
Spero di incontrarla/incontrarvi ancora

to your host

Thank you very much for the meal
Grazie mille per il pranzo

That was very worthwhile
È valsa veramente la pena!

I enjoyed that very much thank you
Mi è piaciuto molto, grazie

I'll be in touch
Ci sentiamo

I look forward to hearing from you soon about the project
Resto in attesa di sapere qualcosa da parte sua/vostra in merito al progetto

Thank you very much for your hospitality
La/vi ringrazio moltissimo della gentile ospitalità

Telephoning, telefonare

see also Appointments, Arrangements, Booking, Hotels . . .

Speaking to the Operator

Hello, this is room number . . . Can you get me . . .?
Pronto? Questa è la camera numero . . . Può chiamarmi
questo numero / darmi un numero di telefono?

I'm trying to phone . . . (number) . . . (country)
Ho tentato di telefonare al . . . (numero) in . . . (paese)

Could you get me . . . (number) please?
Può darmi il . . . (numero) per favore?

I want to place a call to . . .
Vorrei prenotare una telefonata a . . .

I want to make a person to person call to Mr / Ms X
Vorrei fare una telefonata e vorrei all'apparecchio il
Signor . . ./la Signora . . .

I want to make an international call
Vorrei fare una telefonata internazionale per favore

I want to make a transfer charge call to England
Vorrei fare una telefonata in Inghilterra e addebitare
l'abbonato inglese

Will you call me back?
Mi richiama per favore?

Could you give me the number of . . . please?
Per favore mi può dare il numero di . . .?

What is the code for . . .?
Qual'è il prefisso di . . .?

Can I dial . . . direct?
Posso telefonare direttamente?

How do I get an outside line?
Come si fa per avere la linea esterna per favore?

I'm ringing from . . . What code do I dial to get . . .?
Chiamo da . . . Che prefisso devo fare per telefonare
a . . .?

Giving Phone Numbers

> Telephone numbers in Italy are given as a whole set of 5,
> 6, 7 or 8 figures, depending on the province; they are
> either read out in groups or each figure is given
> separately. Internal extension numbers can have two,
> three or four figures and they are read in the same way.
>
> When ringing Britain from Italy, omit 0 (zero) from the
> beginning of any dialling code (e.g. 071 becomes 71).

My number is . . .
Il mio numero è . . .

I'm on . . .
Sono al . . .

My extension is . . .
L'interno è . . .

My direct line number is . . .
Il numero della mia linea diretta è . . .

My car phone number is . . .
Il numero del mio radiotelefono è . . .

My telephone number is / my fax number is . . .
Il mio numero di telefono è . . . / il numero del mio fax
è . . .

It's a freephone, 0800 number
È un telefono a tariffa gratuita

The STD code is . . .
Il prefisso è . . .

Spelling on the Telephone in Italian

A come Ancona
[*ah komey ahnkonah*]

B come Bari
[*bee komey bahree*]

C come Como
[*chee komey komo*]

D come Domodossola
[*dee komey domodossolah*]

E come Enna
[*ey komey eynnah*]

F come Firenze
[*eyffey komey feereynzey*]

G come Genova
[*jee komey jeynovah*]

H come Hotel
[*ahkkah komey hotel*]

I come Imola
[*ee komey eemolah*]

J i lungo
[*ee loongoh*]

K kappa
[*kahppah*]

L come Livorno
[*eylley komey leevorno*]

M come Milano
[*eymmey komey meelano*]

N come Napoli
[*eynney komey nahpolee*]

O come Otranto
[*oh komey otrahnto*]

P come Palermo
[*pee komey pahleyrmo*]

Q come Quadro
[*koo komey kooahdroh*]

R come Roma
[*eyrrey komey romah*]

S come Savona
[*eyssey komey sahvonah*]

T come Torino
[*tee komey toreeno*]

176

U come Udine
[*oo komey oodeeney*]

V come Venezia
[*vee komey veyneyzeeah*]

W doppia vi
[*doppeeah vee*]

X ics
[*eeks*]

Y i greca
[*ee greykah*]

Z come Zara
[*zeyta komey zahrah*]

Problems

a bad line

We were cut off
Siamo stati interrotti

The line is very bad – I can hardly hear you
La linea non è affatto buona. La sento appena

Can you hear me?
Lei mi può sentire?

Could you speak a little louder please?
Può parlare un pò più forte per favore?

I think we've got a crossed line
Credo che ci sia qualcun'altro sulla nostra linea

Hello? Oh, I thought we'd been cut off
Pronto! Oh pensavo che fossimo stati interrotti

Sorry, we were cut off
Mi dispiace / mi scusi, ma siamo stati interrotti

My number is . . .
Il mio numero è . . .

My extension is number . . .
Il mio interno è . . .

I'm trying to get through to . . . but I can't get a ringing tone
Sto cercando di mettermi in contatto con . . . ma non riesco ad avere nessun suono

Can you check the number for me please?
Mi può controllare il numero per favore?

Can you check the line please?
Mi può controllare la linea per favore?

I've been trying to ring . . . Can you tell me whether I've got the right number and code please?
Ho tentato di telefonare al . . .Può dirmi per favore se il numero e il prefisso sono giusti?

Could you reconnect me please?
Mi può rimettere in comunicazione per favore?

The telephone booth is out of order
La cabina telefonica non funziona

comprehension difficulties

Do you speak English?
Parla inglese?

What's the name?
Qual'è il suo nome? / Mi può dire il suo nome per favore?

Could you repeat the name please?
Può ripetere il nome per favore?

Can you spell the name please?
Mi può sillabare il suo nome per favore?

With a P or a B? With a J or a G?
Con la [*pi*] o la [*bi*]? Con la [*i lungo*] o la [*gi*]?

Sorry, I didn't catch your name
Mi scusi, mi è sfuggito il suo nome

Sorry, I didn't understand. Could you repeat?
Mi scusi, non ho capito; potrebbe ripetere per favore?

Could you speak more slowly please?
Per favore può parlare un pò più lentamente?

Can you hold on please? I'll pass you on to someone who speaks Italian better than me
Può restare in linea per favore? Le passo qualcuno che parla l'italiano meglio di mè

Questions and Replies from the Operator / Switchboard

Number please
Il numero prego?

What number do you want?
Che numero vuole?

I'm trying to connect you
Sto cercando di metterla in comunicazione

I'm sorry, there are no lines free at the moment
Mi dispiace ma non ci sono linee libere in questo momento

The line is engaged
La linea è occupata

I'm afraid all the lines are busy at the moment
Mi dispiace, ma tutte le linee sono occupate in questo momento

179

I'll try again later for you
Glielo provo ancora più tardi / proverò più tardi

It's ringing for you now
Adesso sta suonando

Hold the line please
Resti in linea per favore

Will you hold?
Può aspettare al telefono / può restare in linea?

There is no reply
Non risponde nessuno

Will you still hold?
Vuole aspettare ancora?

What number are you trying to dial please?
Che numero ha fatto?

What number are you calling from please?
Da che numero chiama per favore?

Could you repeat the number please?
Può ripetere il numero per favore?

What is your extension?
Qual'è il suo interno?

You can dial that number direct
Lei può chiamare quel numero direttamente

I'll give you a line. Wait for the dialling tone and then dial the number
Le do / le passo una linea; dopo il suono di collegamento faccia direttamente il numero

I'll try the number for you
Provo io il numero per lei

Go ahead caller!
Ecco, parli pure / faccia pure

The number is ex-directory
Il numero non è nell'elenco abbonati

Check the number you want to call
Controlli bene il numero che ha bisogno di chiamare

This number is no longer in service
Questo numero è fuori servizio

Put the receiver down and I will call you back shortly
Metta giù il ricevitore / attacchi il ricevitore la richiamo
fra breve / fra qualche minuto / fra cinque minuti

The line is out of order
La linea non funziona

Hold the line please / will you hold, caller?
Resti in linea / senta (signore / signora / signorina) può
restare in linea?

It's still engaged
È ancora occupato

There is no reply
Non risponde nessuno

The Number Replies

Priestly Consultants, how can I help you?
Priestly Consultants, buongiorno, dica! / pronto Priestly
Consultants

Hello, this is . . . How can I help you?
Pronto; qui parla . . . In che cosa posso aiutarla?

48 42 56 86, hello?
Quattro otto quattro due cinque sei otto sei pronto –
buongiorno

Simonetti speaking
Qui parla Simonetti

Hello, yes? (private number)
Sì, pronto?

recorded messages

**XYZ Plc, I am sorry that there is no-one here to take
your call at the moment. If you would like to leave a
message please speak after the tone**
Pronto, qui è la XYZ Plc. Spiacente di non essere in
grado di rispondere alla vostra chiamata. Se volete
lasciare un messaggio per favore parlate dopo il tono

**Please record your message after the tone and I will
ring you back when I return**
Vi prego di lasciare il vostro messaggio dopo il tono / lo
squillo. Richiamerò non appena di ritorno

a wrong number

Is that Mr Stuart speaking?
Parla il Signor Stuart?

No, I think you must have the wrong number
No, penso che lei abbia fatto il numero sbagliato

Oh, I'm sorry, I think I must have misdialled
Mi dispiace, devo aver fatto il numero sbagliato

What number are you calling / what number are you trying to dial?
Che numero vuol chiamare / che numero vuol fare?

Who did you want to speak to?
Con chi voleva parlare?

Oh, he's not with us any more
Oh, non è più con noi

She's moved to . . .
Ha cambiato, è andata a . . .

She's on extension 6845 now, I'll try to transfer you
La trova all'interno sei otto quattro cinque adesso. Provo a trasferirla a questo interno

There must be a mistake
Ci deve essere un errore

This is not the right department
Questo non è il reparto giusto

If you'll hold on, I'll transfer you to the right person
Se resta in linea, le passo la persona giusta

Getting Through to Your Contact

Could I speak to Ms Gandini please?
Posso parlare con la Signora Gandini per favore?

I'd like the . . . department please
Per favore vorrei il reparto . . .

Could you put me through to Mr Gandini / the . . . department / the person in charge of . . . please?
Per favore può passarmi il Signor Gandini / il reparto . . . / la persona che si occupa di . . .?

I'm returning Ms Patti's call. She tried to ring me a little while ago
Pronto sono . . . (il Signor / la Signora . . .); c'è la Signora Patti? Lei ha tentato di telefonarmi poco tempo fa

Extension 2564 please
Per favore l'interno due cinque sei quattro

The line is busy, would you like to hold?
La linea è occupata; vuole aspettare all'apparecchio?

Yes, I'll hold
Sì, aspetto

Do you still want to hold?
Aspetta ancora?

No thank you, I'll call back later
No grazie, richiamo più tardi

Who shall I say is calling?
Chi devo dire che ha chiamato?

What's it in connection with?
È in relazione a . . .?

Hold on, I'll put you through to him / her
Aspetti un secondo; glielo/gliela passo

The Person You Want is Not Available

I'm sorry, she's not in today
Mi dispiace ma la Signora/la Signorina/lei è fuori oggi

Mr Sellitri is busy at the moment
Il Signor Sellitri è occupato in questo momento

He's not available
Non c'è

He's / she's . . .
Il Signor/la Signora/la Signorina è . . .

- **in a meeting / in conference**
- in riunione / ad una conferenza

- **away on business**
- fuori / via per affari

- **on holiday / ill / not at his / her desk**
- in vacanza / è malato/malata / non è alla sua scrivania

Would you like to leave a message?
Vuole lasciare un messaggio?

Can I take a message?
Posso prendere un messaggio?

Could you ask him to ring me back?
Può chiedergli di richiamarmi?

When would be a good time to ring / to catch him?
Quando sarebbe opportuno telefonare / quando posso trovarlo?

Starting a Conversation

I'm phoning from London
Chiamo da Londra

I'm ringing on behalf of . . .
Telefono per conto di . . .

Mr Brown asked me to ring you
Il Signor Brown mi ha chiesto di telefonarle/telefonarvi

Mr Brown suggested that I ring you
Il Signor Brown mi ha suggerito di telefonarle/
telefonarvi

I'm taking the liberty of phoning you about . . .
Mi permetto di telefonarle/telefonarvi in merito a . . .

I'm ringing in connection with . . .
La mia telefonata è in rapporto a . . . / chiamo in merito
a . . .

**My name is . . . I don't know if you remember, we met
last week**
Il mio nome è . . . Non so se lei si ricorda; ci siamo
incontrati la settimana scorsa

I was given your number by Mr Claris
Il suo numero mi è stato dato dal Signor Claris

Ms Sully advised me to contact you
La Signora Sully mi ha consigliato di contattarla

I've been told you are the right person to contact
Mi è stato detto che lei è la persona giusta da contattare

Perhaps you could help me . . .
Forse lei potrebbe aiutarmi a . . .

I hope I'm not disturbing you
Spero di non disturbarla

I'm sorry to disturb you
Mi dispiace / sono spiacente di disturbarla

I hope it's not too late
Spero che non sia troppo tardi

I've received your letter about . . .
Ho ricevuto la sua lettera in merito a . . .

We spoke on the telephone yesterday
Ho parlato al telefono con lei ieri / ci siamo parlati al
telefono ieri

The Object of the Call

making or cancelling an appointment

I'd like to make an appointment with Mr . . .
Vorrei prendere un appuntamento con il Signor . . .

**I have an appointment with Ms . . . at 3 pm and I won't
be able to be there then**
Ho un appuntamento con la Signora/Signorina . . . alle
tre del pomeriggio; mi dispiace, ma non mi sarà
possibile essere lì a quell'ora

I'm calling to cancel the appointment for 11 am today
Chiamo per annullare l'appuntamento delle undici di
questa mattina
See also **Appointments**

making a booking

I'd like to book a room please
Vorrei prenotare una camera per favore

**I'd like to reserve a table for 6 people for tomorrow
evening please, in the name of Peters**
Vorrei prenotare per favore un tavolo per sei per
domani sera a nome di Peters

I'd like a taxi at 3 pm please. It's to go to . . .
Vorrei avere un tassì alle tre del pomeriggio per favore;
è per andare a . . .
See also **Booking, Hotels**

making enquiries

What time do you close?
A che ora chiudete / a che ora sono chiusi gli uffici?

Are you open on Saturdays?
Siete aperti al sabato?

Is it still possible to reserve a seat for . . .?
È ancora possibile prenotare un posto per . . .?
See also **Booking**

Some Useful Words During the Conversation

Certainly
Sì, certamente / sicuramente

All right, OK
Va bene

Yes
Sì

Yes, I've made a note of it
Sì, ho preso nota

Sorry, I didn't catch that
Mi dispiace, non ho capito bene

Perhaps
Forse / probabilmente

It's possible
È possibile / si potrebbe fare

Exactly
Esattamente / precisamente

Agreed / understood
D'accordo / ho capito / capito

I understand
Ho capito

I certainly think so
Penso certamente che è così / penso proprio di sì

Possibly
Possibilmente

Ending the Conversation

I think that's everything, thank you very much
Penso che sia tutto / penso di aver esaurito tutti gli
argomenti; grazie mille / vi ringrazio molto

So, I'll meet you on the . . . at . . .
Dunque, ci rivediamo / ci incontriamo ancora / ci
vediamo il . . . alle . . .

Fine, . . .
Bene / benissimo / perfetto

All right / I agree
D'accordo / sono d'accordo

So we're saying . . .
Dunque, stavamo dicendo . . .

Thank you very much for your help
Grazie mille per tutto il vostro aiuto / per tutta la vostra
assistenza

Thank you very much for the information
Grazie mille per le informazioni

Thank you for calling
Grazie della chiamata / grazie della sua chiamata

Until next Monday then,
Arrivederci a lunedì prossimo allora

That's it, goodbye Ms . . .
Ecco fatto / eccoci qua allora; arrivederla/arrivederci
Signora

Tours, visite, giri

see also Describing, Directions, Meetings

Meeting the Visitors

Good morning / Good afternoon, welcome to Grafton Plc
Biongiorno / buonasera, benvenuto/benvenuti alla Grafton Plc

My name is Patricia Sutton. I am a manager with the company / I am responsible for public relations
Il mio nome è Patricia Sutton; sono uno dei direttori della società / sono la responsabile delle relazioni pubbliche

I will be showing you our office complex / plant
Le/vi mostrerò il nostro complesso di uffici / il nostro stabilimento

First of all let me tell you a little about our company
Innanzitutto permettemi di dirvi qualcosa della nostra società

Grafton Plc was founded in 1956
La Grafton Plc fu fondata nel mille novecento cinquantasei

. . . and was a maker of . . .
. . . ed era produttrice di . . .

. . . and was active in . . .
. . . ed era molto attiva nel campo di . . .

The company grew and moved into . . . / was taken over by . . . / moved to this site in 19—
La società si sviluppò e poi entrò nel campo di . . . / fu rilevata da . . . / si spostò in questo luogo nel 19—

Now we are a leading manufacturer of . . . / a leading supplier of . . .
Adesso siamo uno dei principali produttori di . . . / uno dei principali fornitori di . . .

Let me give you a copy of this folder, which summarises our activities and corporate philosophy
Eccovi una copia di questa cartella, in cui troverete un riassunto delle nostre attività e della nostra filosofia
See also **Describing**

An Overview of the Site

If you'd come this way please . . .
Se vuole/volete seguirmi da questa parte per favore . . .

This plan shows the layout of the site
Questa cartina illustra la disposizione / lo schema del posto

On this model you can see the main parts of the complex
Su questo modello potete vedere le parti principali del complesso

This is the . . . building and this is the main production area
Questo è l'edificio per . . . e questa è la zona principale di produzione

Most of the production takes place here. Materials are stored here and the finished product is stored over here until despatch
La gran parte della produzione viene effettuata qui; i materiali sono tenuti / immagazzinati qui e i prodotti finiti sono tenuti / immagazzinati là fino al momento della consegna

Raw materials / sub components come in here, and assembly takes place here
Le materie grezze / i sotto-componenti vengono qui, l'assemblaggio è fatto qui

Finished items are stored here and despatched by lorry
Gli articoli finiti sono tenuti / immagazzinati qui e consegnati a mezzo di camion

Our quality circle meets every Friday morning
Il reparto qualità / il numero di persone che si occupano della qualità si riunisce ogni venerdì mattina

The main office is here. The heart of the computer system is here but of course data is backed up and stored in other locations
L'ufficio principale è qui, il cuore del sistema dei computer è qui ma naturalmente i dati sono aggiornati e archiviati altrove

The tall building is . . . The other buildings house . . .
L'edificio alto è . . . Negli altri edifici ci sono . . .

The large tanks are used for . . .
I serbatoi grandi sono utilizzati per . . .

We are proud of . . .
Siamo fieri di . . .

It's an open plan system with a central meeting area and separate rooms for board meetings and meetings with clients
È un sistema senza divisori / scomparti con una zona centrale di riunione e stanze separate per le riunioni di consiglio e le riunioni con i clienti

The Tour

**Now, if you'd follow me please, I'll take you to the . . .
building**
Adesso, se vuole/volete gentilmente seguirmi, la/vi
conduco nell'edificio / nel reparto . . .

**This is the . . . building, where . . . (the . . . process)
takes place**
Questo è l'edificio / il reparto . . .; è qui che avviene . . . (il
procedimento/lo sviluppo di . . .)

**Now we're in the . . . On your right you can see . . ., on
your left there is . . .**
Adesso ci troviamo nel . . . Sulla sua/vostra destra può/
potete vedere . . . Sulla sua/vostra sinistra c'è . . .

In front of us we have . . . and behind there is . . .
Proprio di fronte a noi abbiamo . . ., e dietro c'è . . .

Now, if we go over here I will be able to show you . . .
Adesso se andiamo da questa parte le/vi mostrerò . . .

Would you like to follow me . . .?
Le/vi dispiace seguirmi / Potrebbe/potreste seguirmi per
favore?

This the first floor, where we process data from . . .
Questo è il primo piano dove si sviluppano i dati da . . .
See also **Computers**

**The suite of rooms at the end of the corridor is used
mainly for training and is equipped with the most
advanced systems of computer based training**
La serie di stanze alla fine del corridoio viene usata
principalmente per l'addestramento ed è attrezzata con i
sistemi più avanzati di addestramento a base di
computer

This is where we assess market intelligence
Qui valutiamo le informazioni del mercato

This is the board room
Questa è la sala per la riunione del consiglio

Now, if we go this way, I think there will be a drink for you
Adesso se andiamo da questa parte credo che ci
dovrebbe essere qualcosa da bere per lei/voi

Thank you for coming. I hope you have found your visit interesting
Grazie mille della sua/vostra venuta; spero che abbia/
abbiate trovato la visita interessante

If there is any other information you would like about us, don't hesitate to contact me, Patricia Sutton. Here is my card
Se per caso aveste bisogno di ulteriori informazioni in
merito alla nostra società non esitate a mettervi in
contatto con me; il mio nome è Patricia Sutton; questo è
il mio bigliettino / biglietto da visita

Travel, viaggi

see also Booking, Directions, Hotels

Public Transport

Can you tell me if there is a flight for . . .?
Può dirmi se c'è un volo per . . .?

Can you tell me when the next train / flight for . . . leaves?
Può dirmi quando parte il prossimo treno per . . . / il prossimo volo per . . .?

I want to reserve a seat on the 17.06 train to . . . please
Vorrei prenotare per favore un posto sul treno delle diciassette e sei per . . .

Do I have to change?
Devo cambiare?

Is this where you change for . . .?
È qui che bisogna cambiare per . . .?

Is there a connection for . . .?
C'è una coincidenza per . . .?

Is there a connecting flight for . . .?
C'è un volo di coincidenza per . . .?

When do I have to check in my bags for the flight for . . .?
Quando devo passare al controllo per il volo per . . . / quando devo fare il 'check in' per il volo per . . .?

How often are the flights / trains / ferries to . . .?
Quanti voli / quanti treni / quanti traghetti ci sono per . . .?

Non smoker please
Per favore non fumatori / scompartimento non
fumatori / scompartimento dove non si fuma

I'd like a first class / second class ticket
Vorrei un biglietto di prima classe / di seconda classe

Which terminal does the flight for . . . leave from?
Da che terminal parte il volo per . . .?

. . . it's the Delta Airways flight to . . .
. . . è il volo della Delta Airways per . . .

Can I reserve a seat for . . .?
Posso prenotare un posto per . . .?

Can I have a single for . . .?
Posso avere un biglietto di andata per . . .?

I would like a return to . . . please
Vorrei per favore un biglietto di andata e ritorno per . . .

Which platform does the train for . . . leave from?
Da che binario parte il treno per . . .?

What's the best way to get from the station to the centre of town?
Qual'è il miglior modo per arrivare dalla stazione al centro città?

Is there a shuttle service to town / to the terminal?
C'è un servizio di collegamento alla città / al terminal?

How long does the journey / the flight take?
Quanto tempo dura il viaggio / il volo?

What time should we arrive at . . . (the destination)?
A che ora dovremmo arrivare a . . . (destinazione)?

Car Hire

I want to hire a car to go to . . .
Vorrei noleggiare una macchina per andare a . . .

Where can I hire a car to go to . . .?
Dove posso noleggiare una macchina per andare a . . .?

It'll be a one-way hire. I want to leave the car at . . .
È un noleggio di sola andata; vorrei lasciare la macchina
a . . .

I want to leave the car at . . . (station / airport / hotel)
Vorrei lasciare la macchina a . . . (alla stazione /
all'aeroporto / all'albergo)

Where can I leave the car?
Dove posso lasciare la macchina?

I will be returning the car on 17 October
Restituirò la macchina il diciassette di ottobre

Is that the rate for unlimited mileage?
Questa è la tariffa per chilometraggio illimitato?

Is there an extra charge for mileage?
C'è da pagare qualcosa in più per i chilometri fatti?

What makes of car do you have available?
Che tipo di macchina avete a disposizione?

I want an estate car / an automatic
Vorrei una macchina familiare / una macchina
automatica

I don't want a diesel car
Non voglio una macchina diesel

Problems

Is the train / flight late?
Il treno / il volo è in ritardo?

Is there a delay on flights to . . .?
Ci sono ritardi sui voli per . . .?

Why is there a delay?
Perchè c'è ritardo?

I've lost my ticket
Ho perso il mio biglietto

I didn't use this ticket and would like to . . .
Non ho utilizzato questo biglietto e vorrei . . .

My flight / ferry / train to . . . has been cancelled. When is the next one?
Il mio volo / traghetto / treno per . . . è stato annullato / soppresso; quando parte il prossimo per favore?

Is this where we change for . . .?
È qui che dobbiamo cambiare per . . .?

I've missed my connection to . . . Can you tell me when the next one leaves please?
Ho perso la coincidenza per . . . Può dirmi quando parte il prossimo per favore?

My flight has been cancelled. Can you reserve a seat on the next available flight please?
Il mio volo è stato annullato; mi può prenotare un posto sul prossimo volo in partenza per favore?

. . . can you book me into a hotel / can you recommend a hotel for the night?
. . . mi può prenotare una camera in un albergo / può raccomandarmi un albergo per la notte per favore?

I asked for a seat in the smokers' section
Avevo chiesto per un posto nella sezione fumatori

I'd booked this seat
Avevo prenotato questo posto

I have a reservation
Ho una prenotazione

Some of my luggage is missing
Manca una parte dei miei bagagli

I think I'm on the wrong train – can you help me?
Penso di essere sul treno sbagliato; mi può aiutare per favore?

My name is . . . I hired a car from you; its registration number is . . .
Il mio nome è . . . Ho noleggiato una macchina da voi; il numero di targa è: . . .
See also **Figures**

The car I hired from you has been involved in an accident
La macchina noleggiata da voi è stata coinvolta in un incidente

The car I hired from you has been stolen
La macchina noleggiata da voi è stata rubata

. . . I have informed the police at . . .
. . . ho informato la polizia (i vigili / i carabinieri / la questura) a . . .

. . . it has broken down at . . .
. . . ha avuto un guasto a . . .
See also **Accidents**

NOTES

NOTES